純粋機械化経済 上

頭脳資本主義と日本の没落

井上智洋

nbb
日経ビジネス人文庫

文庫版まえがき

本書は、2019年に単行本として出版された『純粋機械化経済 頭脳資本主義と日本の没落』の文庫版だ。

私は経済学者であるし、題名に「経済」という言葉が入っているためか、単行本は経済学のコーナーに置かれていたように記憶している。だが、経済学が中心になっているのは、第3章と第4章のみで、他の5つの章では、歴史、哲学、思想、コンピュータサイエンスに関する議論が繰り広げられている。

つまり、この本は分類を拒否する書籍だ。

学術の世界は絶え間なく細分化が進んでおり、近頃の大学院生はそうした狭い専門分野を極めることでしか、大学教員などの職に就くことができない。職に就いた後もなお専門分野に閉じこもり続ける人が多い。

しかし、私は違っていた。そんなまっとうな人生を送るために大学院生として勉学に励んだのではない。私は自分の道楽に一番近い仕事として学者を選んだのである。

職に就いてしまえばこっちのもんだ。日々額に汗して働いている善男善女のみなさんには申し訳ないが、私は好き放題生きる。道楽人生まっしぐらだ。そして、私にとって最も道楽的なのは楽しい本を書くことだ。

社会と数学が比較的得意で、語学が苦手な私には経済学者になる以外選択肢はなかった。だが、経済学は学術的な関心事の十分の一にも満たない。そんな私がおとなしく専門分野のマクロ経済学に留まるような本を書くわけがなかろう。

このまえがきを書くに際しパラパラと読み返してみて、自分で言うのもなんだけど、この本は実に楽しいと改めて思った。様々な学術分野を横断しつつ、興味の赴くまま好き放題書いているからだ。それでいて、全体として有機的な統一感がある（ように見えなくもない）。いくつか本文を引用してみよう。

動物は眼の誕生によって繁栄したが、動物にはなぜか相手の眼に向けて情報発信することのできる器官が備わっていない。相手の「耳」に語りかける「口」があるように、「眼」に訴えかける器官があるかというと何もないのである。身振り手振りくらいしか方法がない。

核戦争で人類が滅んだ「世界線」（別の歴史をたどった世界）についても想像を巡らせるべきだろう。ジャワ原人もネアンデルタール人もみんな滅んだ。ホモ・サピエンスが、今なお生き残っているのは僥倖（ぎょうこう）という他ない。

「13世紀の世界システム」において、ヨーロッパは受動的に世界との繋がりを持ったが、「近代世界システム」では、能動的に世界との繋がりを持った。もう少しあからさまな言い方をすれば、侵略される側から侵略する側に回ったのである。

工業社会は、誰も傷つかない優しい世界だ。運動会でいうと綱引きや玉入れをやっているようなもので、個々人の実力はそれほど目立たない。

情報社会では、徒競走やマラソンのように個々人の実力の差が残酷なまでにくっきり浮き彫りになる。

マルクスやエンゲルス、バラモン左翼、ジョン・レノンに比べたら、サイバー・リバタリアンの方が矛盾の程度ははるかに控えめだ。彼らはブルジョア階級の打倒を呼びかける教義の信望者ではなく、「所有のない世界」を夢見るドリーマーでもない。

いたるところに、いかした警句がちりばめられているではないか。

それでも、488ページもあった鈍器のような単行本が売れるとは全く思っていなかったが、実際には割と売れたようで、その証拠にご覧のように文庫化と相成った。表紙のデザインがスタイリッシュだったので、書棚を飾るのに適していたからかもしれない。

この文庫版は、もはや鈍器にもインテリアにもなりにくいが、ポケットに入れて持ち運べないこともないし、ラッシュ時の埼京線で立ったまま読むことも可能かもしれない。多くの人々に気軽に読んでいただきたいと願っている。

2022年1月

井上　智洋

はじめに Introduction

「人工知能を制する者は世界を制する」と私が初めて口にしたのは、２０１３年秋のことだ。早稲田大学で催されたワークショップの場で、そういうサブタイトルの発表を行ったのである。

それ以降、同様のことを口にするたびに、周囲はあっけに取られており、「科学技術が重要なのは分かるが、なぜ他の技術でなくて人工知能なのかが理解できない」などと言われたものだった。

人工知能（ＡＩ）は特別な技術であり、究極の技術である。人間の振る舞いを真似ること自体を目的に研究開発される技術は、ＡＩ（とロボット）以外にはないからだ。

ＡＩは、役に立つ技術、儲かる技術としてだけでなく、自分たちの似姿を作りたいという昔から人間の心に潜む不可思議な願望によっても発展させられている。蒸気機関は人間の肉体労働の一部を肩代わりしたが、蒸気機関がいくら進歩したところで、人間には近づかない。それゆえ、蒸気機関に仕事を奪われた人も、人間しかできない他の仕事に転職することができた。

それに対し、ＡＩは進化すればするほど人間に近づいていく。したがって、高度に発達したＡＩは労働者を一時的に失業させるだけでなく、人間の成し得る仕事の範囲をせばめることで、失業者を長期的に増大させる可能性もある。

その一方で、ＡＩを活用できる者はたくさんの人間を従えているのと同じような巨大な力を持つようになる。その力というのは政治権力や経済力だ。ＡＩは人間をエンパワーするが、同等にではない。途方もなくエンパワーされる人がいる一方、そうでない人もいる。

２０１３年に私が発したその言葉は、今ではありきたりなものになっている。例えば、ロシアのプーチン大統領は、「ＡＩを制する者は世界の支配者になる」と言っているし、ソフトバンクグループ会長の孫正義氏は「ＡＩを制するものが未来を制する」と言っている。

ただし、そこまでＡＩを特別視する人はいまだに少数派だ。多くの人々は、「ＡＩは数ある便利な技術の一つにすぎず、今は最も注目に値するかもしれないが、ブームが過ぎればまた別の技術に光が当てられるようになる」などと考えている。

確かに、今のＡＩは人の顔を見分けたり、人の声を聞き取ったりできるようになったものの、人間のように思考することはほとんどできない。囲碁や将棋のようなゲームでは人間のチャンピオンを打ち負かしたが、単独でまともな小説や評論を書いたり、新しい商品企画やビジネスモデルを提案したりすることはできないのである。

そんな現状の下でも中国政府は、街角の防犯カメラの映像をＡＩで解析する仕組みを用いて、その支配体制を強化し、人類史上かつてなかったほどの大きな権力を手に入れつつある。ＡＩによって世界で最も政治権力を高めることに成功したのは、中国の習近平国家主席であるかもしれない。

グーグル、アップル、フェイスブック、アマゾン・ドット・コムといった巨大ＩＴ企業は、コンピュータとインターネットという鍵となる重要技術を活用することによって時価総額ランキングのトップに上り詰めた。現在はＡＩに莫大な投資を行うことによって、次世代の経済的覇権をも握ろうとしている。

２０３０年頃にＡＩは、人間と同等になったり人間を超えたりはしないものの、人間の知的振る舞いをぎこちなく真似る程度には進歩している可能性がある。人間の知性に近いそのようなＡＩを手にしたものが、次世代の政治的覇権や経済的覇権を手にするものと考えられる。

したがって、ＡＩ技術の遅れている日本のような国は没落し、進んでいる中国のような国は飛躍的に軍事力や経済力を伸ばして、ヘゲモニー（覇権）国家となるだろう。ＡＩ時代に世界は大きく分岐するのである。

「ＡＩと人間が共存する」というのはＡＩに関わる誰もが口にしたがる決まり文句だが、それはあくまでも理想論だ。現実には、ＡＩが私たちの生活を便利にするだけでなく、ＡＩの力を手にした一部の人間が巨大な権力や経済力を手にして、他の人々を支配したり貧しくしたりしつつある。

今日ＡＩに莫大な投資がなされているのは、それによって人々が豊かになるからというよりも、政治的覇権をめぐって国家どうしが競合し、経済的覇権をめぐって巨大ＩＴ企業どうしが競合しているからだ。

といっても勘違いしてほしくないのだが、日本ではＡＩの研究や導入がもっと促進されるべきだと私は思っている。覇権を握る必要はないけれど、他の国がＡＩによって勢力を伸張しようとしている以上、それに伍してやっていけるだけの力を身に付けないわけにはいかないだろう。

それに、個人的にはＡＩやヴァーチャル・リアリティなどの先端技術によるＳＦ的な未来の到来が楽しみで仕方ない。

ＡＩは途方もなく役に立つ技術であり、私たちの生活をこの上なく豊かにする可能性を秘めた技術だ。それとＡＩが恐ろしい技術であることは裏表の関係にある。

農耕技術は、人々の生活を豊かにする可能性を秘めていたが、実際には狩猟社会から農耕社会への転換の過程で、一部の人間だけをエンパワーして支配者として君臨させ、膨大な数の貧しい被支配者を生み出した。ＡＩが同様の結果をもたらさないとも限らない。

我が国には、困った人を助けたい、世の中に貢献したいという純粋な気持ちで、ＡＩを研究したり、ＡＩベンチャーを起業したりしている善男善女が数多くいる。私はそういう人たちを応援しているが、そのことと技術の持つ恐ろしさを指摘することとは全く矛盾しない。

ＡＩは爆発的な経済成長をもたらすとともに、多くの雇用を破壊し格差を拡大させるかもしれない。私たちの生活を便利にし豊かにするとともに、私たちを怠惰にして堕落させるかもしれない。犯罪のない安全な社会とともに、政府批判を一切許さないような偏狭な監視社会をもたらすかもしれない。

世の中には、先端的な技術に肯定的な人と否定的な人と無関心な人ばかりがいる。一つの物事に興味を持つと、そのポジティブな点にばかり注目したり、逆にネガティブな点にばかり注目したりする人々が多い。それらの両方の点を直視して冷静に議論する必要がある。

本書の目的は、ＡＩが持つ巨大な力の正体を明らかにし、その哲学的な意味や経済的・社会的な影響について明らかにすることだ。それとともに、技術と人間との関わりを有史以前にまでさかのぼって議論したい。

そこから見えてくるのは、いかに技術が人々の生活を便利にするだけでなく、権力や戦争と結びつき人々を虐げてきたかということだ。ともするとＡＩも、歴史上の様々な技術と同様に、人々を抑圧したり蹂躙（じゅうりん）することに使われるだろう。そうならないようにするためには、技術の持つ負の側面にも目を向ける必要がある。

国家は、技術の発展を促進させる役割も、その害悪を減じさせる役割も担ってきた。技術を戦争に活用して人々を蹂躙してきたのは国家であるが、格差や貧困を減らす役割を担うことができるのもまた国家である。ＡＩが突出した技術であるならば、ＡＩ時代には国家の役割もまた重要となるだろう。ＡＩ時代のそうした国家の役割についても論じたい。

第1章は導入であり、第2章以降を読み進めるのに必要な基本的な知識を提供する。AIや第四次産業革命に関する基本的な知識を持っている読者は、第1章を読み飛ばしても構わない。

第2章では、AIがどのような技術でどこまで人間の知的振る舞いを真似ることができるのかについて検討しており、AIの技術に関する哲学的な議論がなされている。第3章では、AIがどのように人々の雇用を奪ったり、格差を拡大させるのかを論じる。第4章では、さらにそれを経済理論に基づいて議論する。この章は、少々専門的なので難しく感じたら読み飛ばしてもらって構わない。

AIによる爆発的な経済成長の始まりを、私は「テイクオフ」（離陸）と呼んでいる。テイクオフの時期には、国によるばらつきが生じるだろう。

早めにテイクオフする国々と遅めにテイクオフする国々との間の経済成長に関する開きを「AI時代の大分岐」と呼んでいる。第5章と第6章で説明するように、過去に「新石器時代の大分岐」と「工業化時代の大分岐」という二つの同様の開きが生じた。

どの国が最初にテイクオフに成功するかということに、私は興味を持っている。それゆえに、これらの章では歴史的にどのような国や地域が繁栄したかということについても議論する。

そのうえで第7章で、「AI時代の大分岐」について論じたい。最後に第8章で、AI時代に人々が豊かになるには、国家が何をなさなければならないのか、ということを検討する。

本書の内容が、2016年に出版した拙著『人工知能と経済の未来』（文藝春秋）を拡充したものであることをあらかじめお断りしておきたい。また、2016年の『ヘリコプターマネー』（日本経済新聞出版社）、2017年の『人工超知能』（秀和システム）、2018年の『AI時代の新・ベーシックインカム論』（光文社）とも一部内容が重なっている。

The Pure Mechanized Economy_index

純粋機械化経済

もくじ

第3章 人工知能は人々の仕事を奪うか

下巻目次

第1章

AI時代に日本は逆転できるか

The Pure Mechanized Economy_Chapter 1

文明が進歩していけば、飛行機に乗って世界のどこにでも数時間で行けるようになるであろうと言われています。人は手足を使う必要もなくなることでしょう。ボタンを押せば、服が手元に運ばれて来て、別のボタンを押せば新聞が届けられ、三番目のボタンで自動車が玄関に待機するのです

——ガンディー『真の独立への道』[1]

1 ディープラーニングが知覚の扉を開いた

なぜ日本は衰退するのか？

誰が言い出したのか分からないけれど、我が国のお先真っ暗感を象徴するようなジョークがある。

入学試験は、一介の高校生がノーベル賞級の研究者に消しゴムを拾わせるチャンスだ

ジョークといっても事実であって、ノーベル賞級であろうがなかろうが、大学教員は センター試験などの入学試験の監督業務から逃れられない。

高校生などの受験生は、試験監督員を大学の事務職員だと思っているらしいが、実際はかなり多くの教員が動員されている。そんな愚かな国は日本くらいだろう。

大学教員の本務は、新しい発見を行い論文を執筆するといった研究と講義や学生指導などの教育の二つだ。近年、研究の方に費やす時間は著しく減っており、全労働時間に占める研究時間の割合は、２００２年には46・5％だったが、２０１３年には35％となっている。

その分増大しているのが教育や雑務に要する時間だ。試験監督は以前からの仕事だが、担当する講義のコマ数が増えているのに加えて、講義の準備や学生指導に費やす時間も長くなっている。

最近の大学では基礎演習とか新入生セミナーといった一年生向けのゼミのような講義が設置されていて、教員はその準備にも四苦八苦している。成績不振者や留年した学生との面談に時間をとられたりすることもある。

私自身は、そうした講義や学生指導よりも、講演や雑誌記事の執筆といった学外からの仕事に多くの時間を費やすことで、本業の研究がおろそかになっている。教員によって事情は様々だが、研究時間が減少している事実に変わりはない。

文系については置いておくとして、少なくとも理系の研究者は国際的な競争にさらされており、研究時間を十分に確保しないと競争に負けてしまう。それはスポーツ選手にとっての練習時間と同様だ。したがって、研究者の研究時間の減少は、その国の科学技術の発展を滞らせる。

実際、日本の科学技術力は近年劇的に衰退している。今世紀に入ってから、日本のノーベル賞の受賞者数は、アメリカに次いで2位という輝かしい成果を見せている。ただし、ノーベル賞は二、三〇年前の業績に対して与えられることが多い。既にもう日本の科学技術力は衰退しているので、あと二、三〇年したら、日本から科学分野でのノーベル賞受賞者が輩出されなくなる可能性が高い。

最近では毎年のように、東京工業大学の大隅良典栄誉教授や京都大学の本庶佑特別教授といったノーベル賞受賞者が、日本の科学技術力の衰退を嘆いている。にもかかわらず、政府は抜本的な改革に乗り出していない。

論文数は、その国の科学技術力を測る代表的な指標である。というのも、大学教員などの研究者は、論文でその研究成果を発表するからだ。

図1・1　論文数の推移

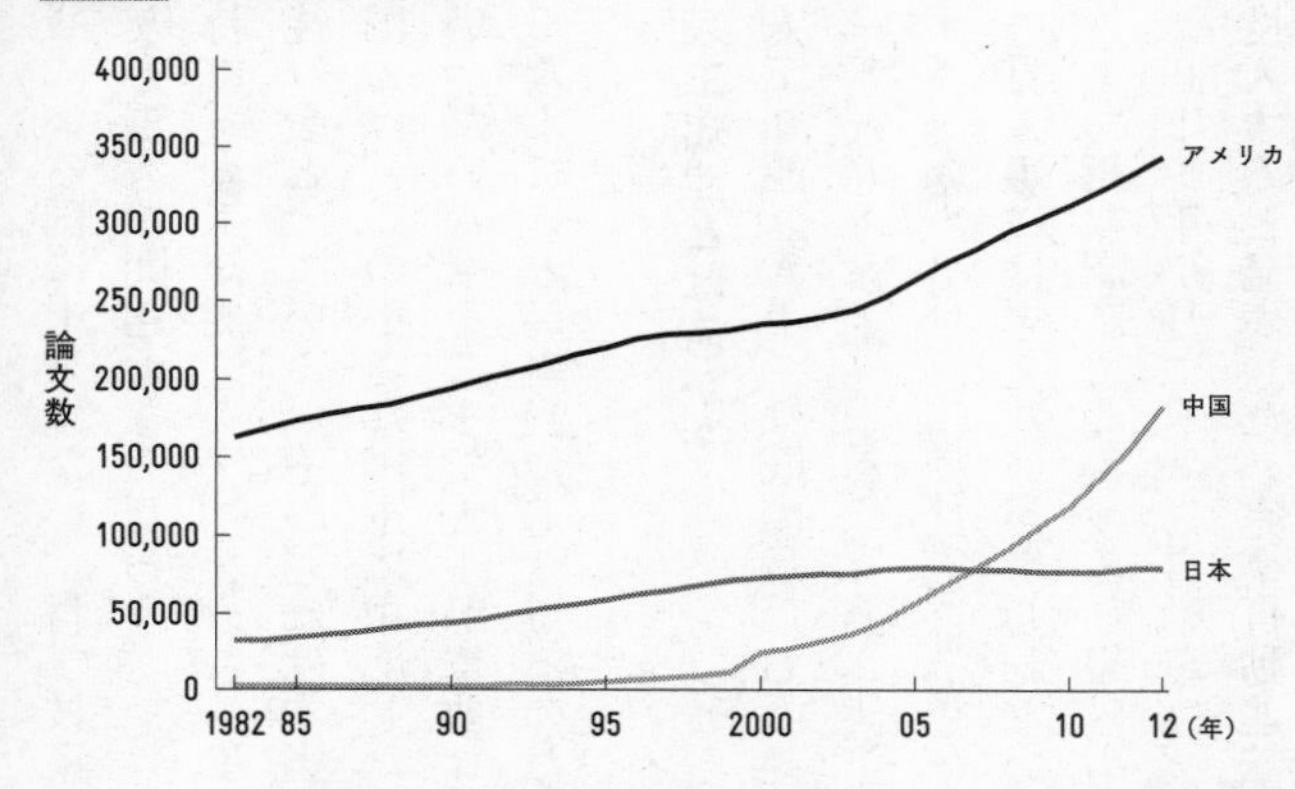

出所：豊田長康「運営費交付金削減による国立大学への影響・評価に関する研究
——国際学術論文データベースによる論文数分析を中心として」
https://www.janu.jp/report/files/2014-seisakukenkyujo-uneihi-all.pdf

図1・1のようにアメリカは優位を保ってきたが、近年中国が猛追を図っている。日本は後塵を拝しているどころか、ここ10年間で論文の絶対数が減少している。なお、この論文数には人文・社会科学のものも含まれており、理工系の分野に限れば中国はアメリカを追い越している。

日本から生み出される論文の相対的な割合が減っていくのは仕方ないだろう。中国やインドなどの新興国が科学技術力を高めているからだ。

しかし、多くの国々が右肩上がりに論文数を増やしている中で、日本だけが減っているというのは深刻な事態だ。大学教員に入試監督を担当させている国に未来はない。科学技術力の衰退はいずれ、我が国にとって少子高齢化よりも重大な問題となるだろう。

特に、人工知能（ＡＩ）を含むＩＴ分野では、世界の他の国に比べて日本は圧倒的に後れをとっている。その遅れは本当に致命的で、このままではいずれ日本の相対的な国力は、この小さな国土に相応した規模にまで縮小するだろう。

いったいなぜそこまでＡＩが重要なのだろうか。ＡＩの技術水準が国家の命運を分けるなんてことが本当にあり得るのだろうか。

人工知能とは何か？

人工知能（ＡＩ）は既に私たちの身の回りに溢れかえっている。多くの人々にとって一番なじみがあって分かりやすいＡＩは、スマートフォン（スマホ）で動作するＳｉｒｉのような音声操作アプリだろう。

一見ＡＩには思えないかもしれないが、グーグルのような検索エンジンやスマホのロックを指紋認証で開錠する仕組みもまた広い意味でＡＩだ。

２０１７年７月にトヨタ自動車は、２０２０年代前半には完全自動運転の車を市場に投入すると発表した。完全自動運転の車は、もはや人間の運転手を全く必要としない。では、人間の代わりに何が運転するのかというと、それこそがＡＩだ。

本書では、ＡＩを「知的処理を行うことのできるソフトウェア」と位置づける。要するに、賢いソフトウェアをすべてＡＩに含めることにする。そのようなソフトウェアを作るための要素技術もＡＩと言って差し支えないだろう。

例えば、Ｓｉｒｉのようなソフトウェアを作るには、人の声を聞き取ってテキスト（文字列）に変換する音声認識という要素技術が必要だ。要素技術の方は、本書ではＡＩ技術と強調して呼ぶ場合もある。

ＡＩの定義は研究者によって異なっている。自律的な意思決定や判断ができなければＡＩとは呼ばないという者もいるし、果ては人間並みに賢くなければＡＩではないと厳しく限定する者もいる。後者の研究者に言わせれば、ＡＩはまだこの世に存在せず、今はＡＩを作るのに必要な様々な要素技術が出てきているという段階だ。

だが、本書ではＡＩの範囲をかなり広くとっておきたい。しかも、その範囲は明確ではなく、ソフトウェアあるいは情報技術（ＩＴ）の中でも比較的賢いものがＡＩだ。したがって、ＡＩであるものとそうでないものの境界線を明確に引けるわけではない。

ディープラーニングとデータ

2016年3月に、アルファ碁という囲碁AIがイ・セドルという韓国人の囲碁チャンピオンを4勝1敗で打ち負かした。続いて2017年5月には、柯潔という中国人のチャンピオンを相手に3戦3勝した。

AIが囲碁で人間のチャンピオンを破ったこと自体に、私は何の感慨も抱かなかった。そもそも、人間よりもコンピュータの方がこの手のゲームに向いているからだ。[2]ただ、その時期があまりにも早かったことには驚いた。

2015年頃にAIが囲碁で人間に勝つまでに10年は掛かると言われていたが、実際にはたった1年で成し遂げられた。それはディープラーニングというAI技術が用いられたからだ。

人間の脳の神経系の構造を真似たこのディープラーニングという技術は、2010年代に普及した比較的新しいもので、現在のAIブームの火付け役となっている。あるいは、火に油を注ぐ役目を果たしている。

AIを最近になって出現した技術だと勘違いしている人もいまだに少なくないようだが、この言葉は遅くとも1956年から存在しており、研究も続けられてきた。ただ、20世紀にはAIを用いた実用的なサービスがそれほど供されることはなかったのである。

今のＡＩの主流は機械学習ベースであり、データをたくさん読み込ませると賢くなるタイプのものだ。アルファ碁も、過去の対局の記録である棋譜を大量に読み込ませることによって強くなった。

ディープラーニングは機械学習を実現する技術の一つであり、これを導入すると格段に精度や性能が上昇することがある。

例えば、グーグル翻訳というネット上の自動翻訳サービスは、２０１６年11月にディープラーニングを導入して、格段に精度が上がった。

日本語―英語間の翻訳に際しては、いまだ人間による手直しが必要だが、英語―スペイン語間の翻訳は今や分野によっては翻訳家いらずのところまできている。といっても、スペイン語を全く解さない私はそれを実地で確かめることができないのだが。

なぜ、英語―スペイン語間が日本語―英語間よりも精度が高いのか。それは、文法的に近いからというよりも対訳データがたくさんあるからだ。対訳とは、この場合英語の文章とそれを訳したスペイン語の文章というセットである。

つまり、自動翻訳の分野でも機械学習の際には、データの量が重要となってくるのである。日本語―英語間でも、対訳のデータが増えてくれれば、もっと精度が高くなるはずだ。

Siriも当初、日本語で語りかけても聞き取ることができず使いものにならなかったが、2014年頃にディープラーニングを導入して以降急速に精度が上がった。

ディープラーニングは今のところ、

- 自然言語処理（自動翻訳、チャットボット）
- 音声認識（音声操作アプリ、AIスピーカー）
- 画像認識（指紋認証、顔認証）

などで用いられている。

自然言語というのは、日本語や英語のような言葉を意味する。プログラミングに使う特別な言語を人工言語というので、それと区別するためにコンピュータサイエンスの分野では自然言語という用語を使っている。

自然言語処理の応用例として、自動翻訳の他にチャットボット（会話ボット）がある。チャットボットは、人と会話するAIだ。会話といっても、今の主流は声でのやり取りではなく、コンピュータやスマホを使ったテキストでのやり取りである。日本ではりんな、中国ではX・iaoice（シャオアイス）というといずれも女性型のチャットボットが流行っている。

ＮＨＫのＡＩに関する特集番組を見ていたら、「将来はシャオアイスと結婚したい」と真面目に語る中国人の青年が出演していた。この人、大丈夫かと心配する向きもあるかもしれないが、未来にはＡＩと人間の恋愛は当たり前のものとなるだろう。中国は一足先に未来へ行っているだけだ。

人工知能は双子を識別できるか？

ディープラーニングが最も得意なのは、画像認識だ。人間は、路上に猫が歩いていたら「猫だ」とすぐに気づくが、これまで機械がものを認識するのは難しかった。コンピュータサイエンスの分野で、この技術は画像認識と呼ばれており、２０１０年代になってようやく人間並みの認識が機械にも可能になった。

自動運転車は、画像認識技術のかたまりのようなものだ。自動車の前を人が歩いていたら、止まるなりよけるなりしなければならない。人を人として認識しなければならないのである。あるいはまた、他の自動車や歩道、道路標識なども認識する必要がある。

画像認識の最も身近な例は、指紋認証だ。近頃、指紋認証によってスマホのロックが解除できるようになった。あらかじめ、持ち主の指紋データをスマホに読み込ませておくと、ＡＩがそこからパターンを抽出する。その指紋のパターンに基づいて、持ち主の指紋であることを識別する。

人の顔を認識するには顔形の微妙な差異が識別できなければならず、機械にとってとりわけ難度が高かった。だが、アイフォンXでは顔認証によるロックの解除が可能になっている。ただし、これは少々不確かな技術で、双子のようなそっくりな人がいたら、本人じゃなくても解除できてしまうのではないかという疑念が湧いてくる。

実際、ザ・たっちという双子の芸人が試したところ、登録した本人じゃなくても解除できてしまったという。もっとも、人間でも双子の見分けはつきにくいので、このことをもってＡＩは使い物にならないと責め立てるわけにはいかないだろう。

他に画像認識の実用例として、マンションのエントランスで顔を見せるだけでロックが開錠できるシステムがある。２０１７年にレオパレス21が発表したこのシステムには、ＮＥＣの顔認証システムNeoFaceが導入されている。

同様に、NeoFaceを利用したサービスに、カード会社ＶＩＳＡの顔パス決済がある。これは、あらかじめ自分の顔画像とカード番号を登録しておけば、レジで顔を見せるだけで決済できるシステムだ。このシステムがあれば、もはや現金もカードも持たずに、手ぶらで買い物することが可能である。

ビジネスの領域でいうと、小売業で今最も画像認識の利用が進んでいる。これまでも多くの小売店が店内に防犯カメラを設置していた。今では、カメラの映像をＡＩで解析して、店舗管理の効率化に役立てようという試みがなされている。

このようなカメラはＡＩカメラと言われており、日本では、ディスカウントストアを経営する福岡の企業トライアルカンパニーが積極的に導入している。

ディスカウントストアのトライアル・アイランドシティ店では、ＡＩカメラによって、店内での顧客の動きや棚に置かれた商品の状態を自動的に把握している。

ＡＩカメラを用いると、10分後、20分後のレジの混雑状況を予測することも可能だ。混雑するとあらかじめ分かっていれば、棚の整理を行っていたスタッフをレジの方に向かわせられる。レジ係の人数の最適化が可能となるのである。このシステムにもディープラーニングが用いられているという。

私がまさにそうだが、レジの待ち時間が長いような店には行きたくないという顧客もいるだろう。レジの混雑解消は小売業にとって重要な課題だ。トライアルでは他にも、万引きが行われるとアラートが鳴る仕組みにもＡＩカメラを活用しようとしている。

デジタル・レーニン主義

ＡＩカメラは、民間企業に利用されるだけでなく、政府によって、例えばテロ防止に利用されることもある。イギリスのロンドンでは、街角の防犯カメラの映像が絶えずＡＩによって解析されている。

もし、あなたがロンドンの路上に鞄を置いてそこから数十メートル離れたら、その様子を捉えたＡＩカメラが警察に通報して、ものの数分で警官が駆けつけることだろう。鞄の中に爆弾が仕掛けられているかもしれないからだ。

これは、テロの多いロンドンならではのＡＩの活用法だ。ＡＩはこのように治安の維持に役立てられるのだが、それは同時に国家による国民監視の強化を意味する。

ＡＩによる監視国家化が、イギリス以上に進んでいるのは中国だ。中国の公安部は、街中のＡＩカメラを用いて治安維持を図っている。既に都市部では導入されており、２０２０年には農村部も含めた全国を覆い尽くすという。

こうしたＡＩカメラには、センスタイム、メグビー、クラウドウォークといった中国の民間企業が技術を提供している。これらは、いずれも画像認識技術に秀でた企業だ。

センスタイムは、画像認識のコンテストで一位になったことがある。メグビーの方は、画像にキャプション（見出し）をつけるコンテストで、フェイスブックなどを抑えて一位になったことがある。メグビーの顔認証技術フェイス＋＋は双子の見極めも可能だという。

動いている人々の顔を識別する群衆分析は、ＡＩにとって難しい課題だったが、フェイス＋＋などによって既に実用化されている。日本ではやはりＮＥＣが群衆分析を得意としている。

中国では、識別した顔と国民の個人情報を結びつけて、大勢の群衆からブラックリストに載った犯罪者や要注意人物を自動で抽出できるようになっている。

香港には、張学友（ジャッキー・チュン）という人気歌手がいて歌神などと称されている。アクション俳優のジャッキー・チェンと名前が似ているが、全くの別人だ。その人気歌手が２０１８年に中国で行ったコンサートツアーの会場で、逃亡犯や詐欺師が相次いで逮捕された。

ＡＩカメラによって、コンサートを見に来た無数の人々の中から、発見されてしま

ビッグ・ブラザー
イギリスの作家ジョージ・オーウェルの小説『1984』に登場する独裁者であり、監視国家をたとえる際にしばしば用いられる。現代の中国で進行するデジタル技術による監視国家化は、「ビッグ・ブラザーとビッグデータの出会い」と表現されている（©Granger/PPS通信社）。

ったのである。逮捕者の一人は、「危ないと分かっていたがどうしてもコンサートが見たかった」と供述した。ジャッキー・チュンの美声の魅力に抗えなかったのだ。

識別の対象になるのは、既にブラックリストに載っている者ばかりではない。街中で誰がいつどこで何をしているのかを把握し、犯罪を起こしそうな人物を事前に割り出すこともできるようになっている。

例えば、ある人がある店で包丁を買っただけならば問題ない。だが、別の店でハンマーも買ったならば、犯罪を犯すであろうと推定される。最終的には、全国民の犯罪を犯すであろう確率をＡＩが自動で割り出して、一定の確率を超えた者に対しては警察が尾行するなどして、犯罪が未然に防止されるという。

映画「マイノリティ・リポート」のように、まだ犯罪を犯していない者が逮捕されるようになるかどうかは分からないが、いずれにしても未来社会を舞台にしたこのＳＦ映画をほうふつとさせる。

中国のＡＩカメラを使った一連の監視システムは天網と呼ばれており、「天網恢恢疎にして漏らさず」から取られている。中国の古典『老子』のこの言葉は「天の張る網は広くて目が粗いようだが、悪人を漏らさず捕まえることができる」という意味だ。

より日本人に親しみやすい言い方をすれば、「お天道様が見てるから悪いことはしなさんな」ということになる。ただし、現代の中国で悪事を見張っているのは、お天道様ではなく巨大なＡＩ監視システムというわけだ。

このＡＩ監視システム天網は英語圏ではスカイネットと呼ばれている。偶然にも、映画「ターミネーター」シリーズで、人類を絶滅の淵にまで追い詰めた軍事コンピュータと同じ名前で、不吉なことこの上ない。

ドイツの政治学者セバスチャン・ハイルマンは、ＩＴやＡＩを国民の統治に用いる中国政府のこのような取り組みにデジタル・レーニン主義というパワーワード（インパクトのある言葉）をあてがった。一党独裁体制とデジタル技術は相性が抜群であり、それらの融合を意味している。

こうした監視システムを導入すれば犯罪は確かに減るだろうが、権力者が悪用する可能性が否定できないので、長期的に見れば望ましいことではないかもしれない。日本での導入には十分慎重になるべきだ。

信用評価システムも、AIカメラと並んで中国の監視国家化を推し進めている。代表的な信用評価システムとしては、アリババ集団傘下の金融関連会社アント・フィナンシャルが提供する芝麻信用（ジーマしんよう）がある。芝麻というのは日本語でいうゴマのことで、「アリババと40人の盗賊」に登場する呪文「開けゴマ」に由来する。

芝麻信用は、学歴や資産、人脈などに基づいて、個人の信用度を350点から950点まででスコア化している。スコアが高ければ、低金利でお金が借りられたり、病院で優遇されたり、出国手続きが簡単になったりする。恋人マッチングサービスでも、芝麻信用のスコアの高さがモノをいう。

スコアが低いと電車などの公共交通機関の利用が制限されたり、企業の採用で不利になったりする。罰金の滞納やテレビゲームのやり過ぎによってもスコアが下がる可能性がある。

政府が芝麻信用を利用したり、自治体が独自に信用評価システムを運営したりすることもある。裁判の記録が芝麻信用のスコアに反映されることもある。

日本では、行政機関や司法機関の持つ個人情報のデジタルデータを民間企業に流出させることは考えられない。中国では、官民が連携してデータの共有化を進め、活用を図っているのである。

眼の誕生

中国国営中央テレビ（ＣＣＴＶ）は、あるドキュメンタリー番組で、天網は「国民の安全を守る『眼』の役割を果たしている」と放映したが、それは国民を監視する眼にもなり得る。

画像認識を機械の「眼」にたとえるのは、一種の流行だ。日本ではＡＩ研究者の第一人者である東京大学大学院の松尾豊教授が、アメリカではＡＩ研究者のギル・プラットが、たびたびこのたとえを持ち出している。

プラットは現在、トヨタがシリコンバレーに設立したＡＩを研究開発する企業であるトヨタ・リサーチ・インスティテュート社（ＴＲＩ）のＣＥＯだ。

彼らは、機械が画像認識できるようになったことをカンブリア紀における眼の誕生になぞらえている。カンブリア紀に爆発的に生物の種類が増大して、今あるほとんどの生物の種類（門）が出揃った。なぜそのような爆発が起きたかというと、生物が眼を身に付けたからだ。イギリス生まれの古生物学者アンドリュー・パーカーは、『眼の誕生』（草思社）でそう主張している。

かつての機械には生物の眼に相当する仕組みが備わっていなかった。視覚データを収集する機械であるビデオカメラやイメージセンサーはあったが、視覚データを自分で切り分けてものを識別する機械はこれまで存在していなかった。もう少し正確にいうと、ものを識別する技術は20世紀からあったが人間の眼には全く及ばず、それほど使いものにならなかった。

ここでは、イメージセンサーに相当する網膜だけでなく、視覚データを解析してものを識別する脳の第一次視覚野という部位も含めて、眼と言っている。この第一次視覚野を再現できる技術こそが、画像認識だ。

そういう意味では、ディープラーニングが出現して、機械は初めてまともな眼を獲得したと言える。したがって、今後機械はカンブリア紀の生物さながらに爆発的に種類を増やし地球上に広がっていくものと見込まれる。

これまでロボットというと、工場の固定された位置に置かれて、定型的な作業をするしかなかった。ロボットが眼を持つようになれば、工場を飛び出して、農業やサービス業のような不規則な環境の中で、ケース・バイ・ケースの判断をし、不定形な作業に従事できるようになる。ディープラーニングが産業に与える衝撃は計り知れない。

画像認識は、ビジネスに適用し得る局面のまだ0・1％も実際には適用されていない。これから今の1000倍以上も画像認識は使われるようになる。たとえAIの技術が今後全く進歩しなかったとしても、画像認識技術が広く使われるようになるだけで世界は様変わりするだろう。

耳の誕生

そのうえ、機械の眼だけでなく耳も誕生している。音声認識の技術の発達によってSiriなどの音声操作アプリやアマゾンエコーなどのAIスピーカーが実用化された。

これらは、私たちの声を聞き取ってくれる言わば耳を搭載している。そればかりか、私達に喋りかけてくる口も備わっている。

声によって人間と機械がコミュニケーションすることが当たり前の時代が到来しつつある。そんな時代のことを「ボイス・インターフェースの時代」（ボイスの時代）という。

動物は眼の誕生によって繁栄したが、動物にはなぜか相手の眼に向けて情報発信することのできる器官が備わっていない。相手の「耳」に語りかける「口」があるように、「眼」に訴えかける器官があるかというと何もないのである。身振り手振りくらいしか方法がない。

私たちの胸の辺りに生まれつき、ソフトバンクのロボット、ペッパーのようにディスプレイが備わっていて、頭で思い描いたことをそのディスプレイに表示できて、自分の意思を相手に伝えられたら便利だったかもしれない。

しかし、それ相応の器官を有していないので、視覚を使ったコミュニケーションは人間を含めたあらゆる動物にとって難しい。ミツバチのダンスのような例外もあるが、求愛のための鳥のさえずりやクジラの発する歌のように、多くの動物は音声を使ってコミュニケーションを行う。

人間には、相手の耳に向けて情報発信することのできる口や声帯が備わっている。イスラエルの歴史学者ユヴァル・ノア・ハラリが、『サピエンス全史』（河出書房新社）で指摘するように、現生人類は、他人とコミュニケーションし協力して作業を行えるのが最大の強みだ。動物は眼によって繁栄し、人間は口（声帯）によって繁栄したのである。

やがて文字が生まれ、映画やテレビ、コンピュータのディスプレイなどが発明され、視覚でのコミュニケーションも可能になった。

それでも、相変わらず私たち自身の肉体に視覚的な映像の発信器官が備わっているわけではないので、コンピュータとやり取りするには、手を使わなければならない。マウスやキーボードを使ってコンピュータに働きかけなければならないのである。そのためには、多少なりとも慣れや訓練が必要であり、特に高齢者にはハードルが高い。

それに対し、耳と口を使ったコミュニケーションは人類が古来、行ってきた自然な営みであり、慣れや訓練をほとんど必要としない。ボイスの時代には、高齢者にもコンピュータが簡単に活用できるようになる。目や手が不自由な人にも操作可能となり、コンピュータはよりバリアフリーとなる。

若者や健常者にとっても、ボイスによるコミュニケーションは便利な局面が多い。例えば、スマホのマップを手で操作し眼で見ながら、店などの目的地を求めてさまよい歩くのは、歩きスマホとなる危険な行為だ。

ところが、耳に補聴器のように付けられるＡＩアシスタント搭載の機器があって、「次の角を右に曲がってください」などと声で指示してくれたらどうか。私たちは歩行に際して必要な眼という器官を奪われることなく、機械のアシスタントを受けられるようになるだろう[3]。

このように今のＡＩ技術だけでも応用可能なことはいくらでもある。ＡＩが様々な用途に使うことのできる汎用的な技術だからだ。それゆえに、ＡＩはこれから社会・経済に大きな変化をもたらすだろう。

2 第四次産業革命

汎用目的技術

これから、産業にもたらされる劇的な変化を第四次産業革命といい、ＡＩは、第四次産業革命を引き起こす汎用目的技術として位置づけられる。

汎用目的技術（General Purpose Technology、ＧＰＴ）は、蒸気機関のような、あらゆる産業に影響を及ぼし、また補完的な発明を連鎖的に生じさせる技術である。蒸気機関の補完的な発明品としては、蒸気ポンプ、力織機（蒸気を動力とした布を織る機械）、蒸気機関車、蒸気船などがある。

１８００年頃に蒸気機関が第一次産業革命を引き起こし、１９００年頃に内燃機関や電気モータなどのＧＰＴが第二次産業革命を引き起こした。内燃機関というのは、ガソリンエンジンのことだ。

私たちの現在の消費生活の多くは、第二次産業革命が切り開いた地平にある。例えば、自動車や飛行機は内燃機関の、洗濯機や掃除機は電気モータのそれぞれ補完的発明品だ。

新たなＧＰＴであるコンピュータとインターネットが引き起こした第三次産業革命（ＩＴ革命）が現在進行中だ。ウィンドウズ95が世に出された１９９５年をこのような革命の元年とするならば、まだ20年ほどしか経っていないことになる。[4]

第四次産業革命は、もう始まっているという論者もいるが、私は２０３０年頃に始まると予想している。早くても２０２５年頃だろう。

というのも、今これだけ、世の中で「ＡＩ、ＡＩ」と騒がれているが、ＡＩによって日本経済全体の生産性が向上したとか、経済成長率が上昇したというような経済統計は一切存在しないからだ。ＡＩ導入によって業務の効率化を図ったとか、利益や売り上げが増大したという一部の企業の事例があるばかりだ。

新しい技術や商品が開発されてから、社会に広く普及するようになるまでには、ある程度の時間が掛かる。この過程は、経済学ではディフュージョン（拡散、普及）と呼ばれている。

ただし最近、ディフュージョンの期間はかなり短くなっており、アメリカで自動車が人口の50％まで普及するのに要した期間は80年以上だったが、テレビやビデオは30年ほど、携帯電話は10年ほどだ。

人間並みの画像認識が可能になったのは２０１５年頃だ。それが十分普及するまでに10年ほど掛かると仮定すると２０２５年頃となる。目に見えて生産性に貢献するようになるまでに、さらに5年ほど掛かる可能性もある。そうすると、２０３０年頃になってようやく統計的にも革命の証拠が確認できるようになるだろう。

情報空間のデジタル化

第三次と第四次の産業革命の違いが分かりにくいかもしれない。第一次と第二次の産業革命をまとめて工業革命と見なし、第三次と第四次を情報革命という一続きの革命と見なすこともできる。

情報革命について注意すべきことは、この革命によって情報化がなされるわけではないという点だ。音声や文章、絵画といった情報そのものは古来から存在している。情報革命とは、情報のやり取りや情報の処理が、デジタル化される革命なのである。そういう意味では、デジタル革命と言った方が真意を得ているが、ここでは慣習通り情報革命と呼ぶことにしよう。

180万年ほど前に誕生した私たちの祖先である北京原人やジャワ原人などの「原人」は、既に言葉が喋れたようだ。2万年ほど前には、クロマニョン人がフランスのラスコーなどの洞窟に、色鮮やかな馬や牛などの壁画を描いている。

人類は、マンモスを狩り田畑を耕すといった実空間の営みの他に、他人と会話し美しい絵を描くといった情報空間の営みを延々と行ってきた。情報空間は、デジタル空間が出現する何万年も前から現れていたのである。

実空間は、物体を運んだり、操作したり、変形したりする営みの場であり、情報空間は、他人と情報をやり取りしたり、頭の中で情報を処理したりする営みの場である。

おおざっぱに言えば、実空間における労働は肉体労働であり、主にブルーカラーによってなされる。情報空間における労働は事務労働や知的労働であり、主にホワイト

楔形文字

メソポタミアで使われていた世界最古の文字
(©Science Source／PPS通信社)

カラーによってなされる。

情報空間における最初の職業は、恐らくシャーマン（巫師）だろう。シャーマンは、神や精霊の意思を伝えるのが役割であり、物体に直接働きかけることがない。

メソポタミアでは、紀元前5000年頃に人類最古の都市エリドゥにジッグラト（神殿）が建てられ、紀元前3400年くらいには人類最古の文字「楔形文字（くさびがたもじ）」が発明された。それに伴って、神官や官僚など情報空間の新たな職業が誕生した。

文字の発明以降は、音声ばかりでなく粘土板やパピルス、亀の甲羅、木簡などを介して情報を伝え合うようになった。西暦105年以降は、中国の蔡倫（さいりん）の発明した紙がユーラシア大陸全般で用いられるようになっている。

粘土板や紙を使って情報を伝達するには、人間が移動してそれらを運ぶ必要がある。一方、人間が移動することなく、情報を伝達する手段として、紙を鳩に運ばせる以外にも、狼煙（のろし）やかがり火、太鼓を用いた通信が長らく採用されてきた。

情報通信技術は、そんなふうに３０００年ばかりのろのろした調子でさしたる進歩もなかった。19世紀に至ってようやくのこと劇的な変化が訪れて、狼煙や伝書鳩の代わりに電信や電話、ラジオが用いられるようになった。

20世紀初頭にはテレビが誕生している。電話やラジオが音声データのみを伝達するのに対し、テレビは動画データも伝達する。したがって、その情報量はけた違いであり、視聴者は遠くにいながらも近くにいるかのような臨場感を味わうことができるようになった。

20世紀末にはパソコンとインターネットが普及し、あらゆる人間どうしの情報のやり取り、すなわちコミュニケーションがデジタル化され始めた。

現在、すべてのコミュニケーションがその変化に飲み込まれつつある。テレビも電話も手紙も、インターネットを介した通信に代替され、アナログ的な通信手段は滅び去ろうとしている。テレビそのものも、２０００年以降日本を含むあらゆる主要国で

図1・2 産業革命と代替される労働

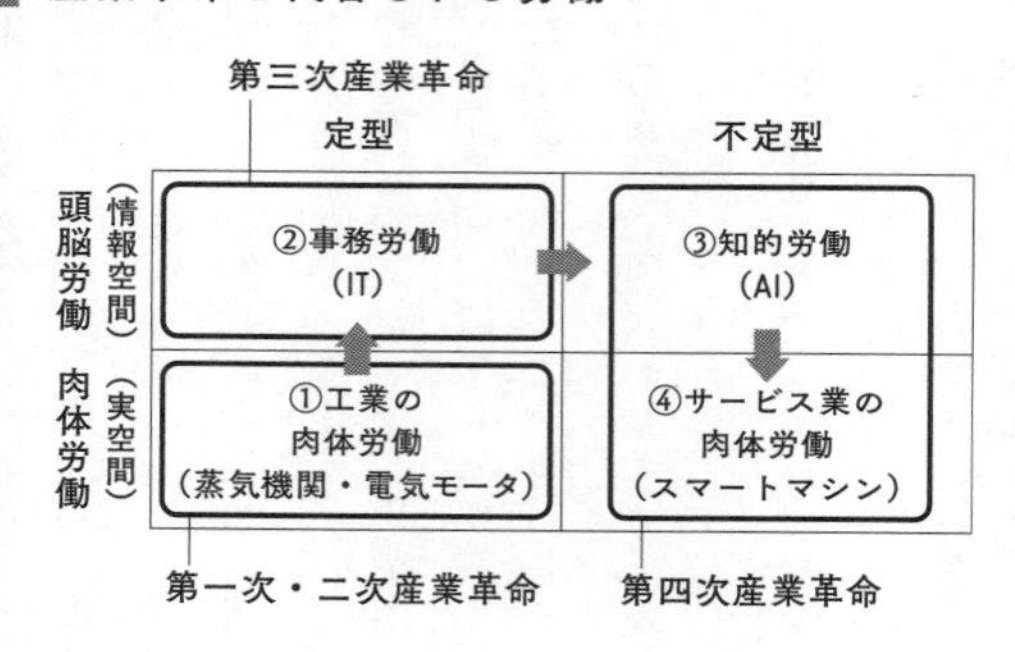

出所：筆者作成

アナログ放送からデジタル放送に変わっていった。

事務手続きもコミュニケーションの一種であり、デジタル化の対象となっている。例えば、大学で学生が科目の履修登録を行うのも、教員が学生の成績を事務方に伝えるのも、今やネット上で行われる。

事務労働は、定型的な頭脳労働として位置づけられる。実際の事務員は、判断を必要とするような不定形な作業も行っているが、今はそれを除いて考えよう。そうすると、事務労働は定型的な頭脳労働として図1・2の②に位置づけられる。

第三次産業革命の進行とともに、ＩＴはこれまで事務労働を置き換えてきたし、今も置き換え続けている。実際、アメリカでは、旅行代理店やコールセンターのスタッフ、経理係といった事務労働の雇用が減少している。

人間は、他人とのお喋りや事務手続き以外にも、書籍や映像、音楽といった創作物の披露とか、買い物や取引など様々なコミュニケーションを行っている。

情報革命では、こうしたあらゆるコミュニケーションがデジタル化される。情報空間がデジタル化されてデジタル空間となるのが、この革命だ。

お喋りはメールやソーシャル・ネットワーキング・サービス（ＳＮＳ）によってデジタル化され、映像や音楽はＷｅｂサイトからダウンロードできるようになり、買い物や取引もネット越しに可能となった。

インターネットがこれまでの通信手段と決定的に異なるのは、文字でも音声でも映像でもない「操作」を伝達できることだ。これまで、購入の意思を店舗に伝えるには、実店舗に赴くか電話や郵便を用いるしかなく、そのたびに人間のスタッフが応対するしかなかった。

ところが、今ではコンピュータ上のクリックとかドラッグといった操作をネット越しに伝達できる。私たちは操作の伝達によって購入の意思を店舗のコンピュータに示し、そのコンピュータが自動的に決済を行う。こうして、販売という行為が自動化された。

売る側だけでなく、買う側の作業も限りなく省力化されてきた。私たちはもはや買いたいものがあっても、スーパーマーケットやデパートに足を運ぶ必要はない。アマゾンのサイトにアクセスして、購入ボタンをクリックするだけだ。

第四次産業革命ではおむつがおつむ化する

ＡＩの導入によってこれから可能になるのは、判断を必要とする知的労働、つまり図1・2の③にあるような不定形な頭脳労働の置き換えだ。ホワイトカラーの中でも、銀行の与信係や弁護士助手、税理士といった専門職の雇用が消滅しないまでも減少していくことだろう。

一言でいうと、第三次産業革命ではＩＴ化がなされており、第四次産業革命ではＡＩ化がなされる。最初に、ＡＩはＩＴの比較的賢いものだと述べた。それゆえ、知的労働がＡＩ化されるのだ。

第四次産業革命は、それだけでは終わらない。ＡＩがロボットに組み込まれ、「不定形な肉体労働」がロボット化される。既に述べたように、ロボットが眼を持つことにより、不規則な環境の中でケース・バイ・ケースの判断ができるようになるからだ。

不定形的な肉体労働は、図1・2の④に位置づけられる。第一次産業革命と第二次産業革命では、図1・2の①にある工場における定型的な肉体労働が、ある程度、機械によって自動化された。それに対し、第四次産業革命では、農業やサービス業における不定形的な肉体労働が主に自動化される。

不定形的な肉体労働を代替するのは、ロボットだけでなくAIが組み込まれた自動車やドローンなど様々な物的な機械だ。そういった機械を「スマートマシン（賢い機械）」という。

AIによって制御された賢い自動車はスマートカーと呼ばれる。自動運転車はスマートカーの一種だが、現在販売されている自動車の多くも、自動運転車でないにしてもスマートカーに含まれる。というのも、自動で車間距離をとったり、車線を逸脱した時にアラートを発したりといったスマートな機能がいくつも搭載されているからだ。

住宅や工場、街もAIによってコントロールされ、スマート化されるようになるだろう。それらは、各々スマートホーム、スマートファクトリー、スマートシティーと呼ばれている。

さらには、公衆トイレの混雑状況が外から分かるようになるスマートトイレとか、赤ん坊のおむつが濡れるとスマホに通知してくれるスマートおむつといった技術まで開発されている。言わば、おむつが賢くなっておつむ化するというわけだ。

スマートホームは、例えば部屋にいて「カーテンを開けて」と言うだけで、自動的にカーテンが開くとか、「暑い」とつぶやくだけで、エアコンのスイッチが入るといったことができる「賢い住宅」を意味する。

こういった住宅をスマートハウスという場合もあるが、こちらの方は単に電気利用の効率化を図った住宅という意味でも用いられる。

スマートホームが近頃一部で注目を集めているのは、AIスピーカー（スマートスピーカー）が普及し始めたからだ。AIスピーカーは住宅内の機器として連動させることができるので、「カーテンを開けて」と呼びかける相手、つまりインターフェースになり得る。

ソニー不動産は、2018年10月にスマートホームAIFLAT（アイフラット）の商品化を発表した。既に、アイフラットシリーズ第1弾となるマンションを都内に建設中だという。

このマンションの居住空間は、Alexa（アレクサ）を搭載したAIシステムによってコントロール可能になる予定だ。例えば、「アレクサ！　戸締まりを確認して」

と言うと、ドアや窓の開閉状態を自動で確認してくれる。アレクサは、アマゾンが提供するAIスピーカーのアマゾンエコーにも組み込まれているAIアシスタントだ。スマートホームはAI住宅とも呼ばれており、AIによる革命である第四次産業革命を身近に感じさせる格好の例だ。

第三次産業革命では、ITがデジタル空間のみで使われていたが、第四次産業革命では、AIを含むITが実空間にある住宅や街などをコントロールするようになる。といっても、実空間がデジタル空間となるわけではない。そうではなく、デジタル空間が実空間を支配し、コントロールするのである。

「数化万物智在融合」（万物のデジタル化、知は融合にあり）は、中国国際ビッグデータ産業博覧会第4回大会（2018年）のテーマである。[5] 数化万物は、文字通り読めば、ありとあらゆるモノがデジタル化されるということだ。

だが、情報はデジタル化できるが、実空間にある机や椅子そのものをデジタル化できるわけではない。そうではなく、デジタル空間が実空間をコントロールするのである。

実空間はアトム（原子）で構成されており、デジタル空間はビット（0と1）で構成されている。ビットが至るところでアトムを支配し、コントロールするようになるのが第四次産業革命というわけだ。

これに関係してネットワークという点から比較すると、第三次産業革命では、ネットにつながっているのがパソコンやスマホのみであった。それに対し、第四次産業革命では、自動車や住宅、トイレ、おむつ、家電製品、工場の機械、防犯カメラ、鞄、財布などありとあらゆるモノがネットに接続される。

それを可能にする技術は、IoTと呼ばれている。IoT（Internet of Things、モノのインターネット）は、様々なモノにコンピュータのチップやセンサーが備わり、それがインターネットにつながっている状態を意味する。IoTもまた第四次産業革命を支える重要な技術だ。

電話のような人と人の通信は、「P to P」（Person to Person）という。人がパソコンを操作して、アマゾンのサーバーと通信するのは、人と機械の通信すなわち「P to M」（Person to Merchine）だ。機械と機械の通信は「M to M」（Machine to Machine）ということになる。それらを全部含んだうえで、トイレやおむつなど機械とは呼べない普通のモノもネットにつながるようになるのが、IoTだ。

ネットにつながった自動車をコネクティッドカーというが、それに倣って言えばコネクティッドトイレやコネクティッドおむつがIoTによって可能になる。

なお、ありとあらゆるモノやコトをネットにつなぐという意味の、IoE（Internet of Everything、すべてのモノのインターネット、万物のインターネット）という言い方もある。これはおよそIoTと同じようなものと見ていいだろう。IoEはもともと、2012年にアメリカのIT企業シスコシステムズによって提唱された概念だ。

人間の脳もネットに接続される未来

1995年にマイクロソフトからウィンドウズ95が発売され、パソコンがコンピュータマニアではない一般市民にも広く普及していった。

ここから、コンピュータの発展は二つの方向性に開かれていた。一つはモバイル・コンピューティングで、もう一つはユービキタス・コンピューティングだ。前者はコンピュータを持ち運ぶということを意味している。後者はコンピュータをありとあらゆる物体に埋め込むことであり、IoTとほとんど同じ意味を持っている。ユービキタス（ubiquitous）は、遍在を意味するラテン語ubiqueに由来した英語だ。

最初に発展したのはモバイルの方向性であり、ノートパソコンやPDA（携帯情報端末）、スマホはこの方向に沿った商品である。

ユービキタス・コンピューティングは、ゼロックス・パロアルト研究所のマーク・

ワイザーが1991年に、「21世紀のコンピュータ」という論文の中で最初に用いた言葉だ。

ところが、この概念自体は、日本の計算機科学者である坂村健氏（現・東洋大学教授）率いるTRONプロジェクトによって先取りされている。坂村氏は1980年代に、IoTないしユービキタス・コンピューティングに相当するコンセプトを「どこでもコンピュータ」と称していた。

しかしながら、そうしたコンセプトが実現へと向かい始めたのは、どこでもコンピュータやユービキタスといった言葉が忘れ去られ、IoTがそれらとほとんど同じ意味で用いられるようになった2010年代になってからのことだ。

いずれは、私たち人間も脳に埋め込まれたコンピュータチップを介してネットに接続されて、IoTの一部になるかもしれない。「新しい時代には、私たちの一人ひとりが、生物圏の神経系の一ノードとなる」[6]のである。

ブレイン・マシン・インターフェース（BMI）という脳と機械を通信させる技術が、高度な発達を遂げている。この技術を用いれば、全身不随の人でも、念じるだけで機械のアームを動かしてコーヒーを飲むことができる。エアコンをつけたり、テレビのチャンネルを変えたりすることもできる。

2014年6月、ブラジルで催されたサッカーワールドカップの開会式で、下半身不随の障害者がオープニングキックを行った。彼は脳波を電気信号に変えて手や足を制御することができるパワードスーツを身にまとって、動かぬはずの足でボールを蹴ったのである。

ブラジル人神経科学者ミゲル・ニコレリスらが開発したこのパワードスーツは、脳波を電気信号に変えて手や足を制御することのできるBMI技術を搭載している。BMIは、AIよりも一足先にSF的世界に突入していると言えるだろう。

ブレイン・ブレイン・インターフェース（BBI）の研究も進んでいる。これは脳と脳が言葉などのコミュニケーション手段を使わずに直接通信できる技術だ。2013年3月、ニコレリスらの研究チームは、南米と北米にいる二匹のネズミの脳に電極をつなぎ、インターネットを介して通信させることに成功した。

光がともった時にレバーを押せば水の出てくることを南米のネズミが学習し、そのネズミの脳波を電気信号に変換しネット越しに伝達した。電気信号を受信した北米のネズミは、学習過程を経ることなくすぐにレバーを押せるようになったのだという。

こうした技術は、言葉などによるコミュニケーションが困難となった患者や障害者が意思疎通するための手段となり得るので、さらなる発展が期待される。

私達は、BBIによって脳と脳が連結され、言語化することなく直接想いをネット越しに他人と伝え合うようになるかもしれない。そうした仕組みは、ブレインネットワークなどと言われている。あらゆる人の脳がネットワークを形成するブレインネットワーク社会が望ましいものになるかどうかは分からない。

イギリスの物理学者ジョン・デスモンド・バナールは、1929年出版の『宇宙・肉体・悪魔』（みすず書房）で、人の脳と脳が直接連結されるようになると予測している。そうすると、頭脳どうしが高度な連携を行う群体頭脳となり、しまいには人類全体が一つの生命体のようになるという。

バナールのこの着想は、イギリスのSF作家アーサー・C・クラークの『幼年期の終り』に影響を与えており、さらにそれは、アニメ「新世紀エヴァンゲリオン」に影響を与えている。このアニメでは、人々はみな傷つけ合うから魂を一つにしてしまおうという人類補完計画が、物語の鍵を握っている。

群体頭脳にせよ人類補完計画にせよ究極の全体主義であり、そんな未来社会は望ましくないかもしれない。そもそも、それらは今のところ絵空事のようにも思える。ただ、AIとIoTによって可能になった中国のデジタル・レーニン主義の延長上には、誰もが犯罪を犯さず道徳的であるような社会が出現するだろう。その時、中国人民14億人が一つの群体頭脳を形成しているかのような様相を呈するかもしれない。

14億人全員でないにせよ、反乱分子の脳に直接コンピュータのチップを埋め込んで、公安部のＡＩがネットを介して遠隔的にその行動を自動制御するくらいのことは、近いうちに起こってもおかしくはない。

ＡＩ・ビッグデータ・ＩｏＴ

第四次産業革命は、一般にＡＩとともにビッグデータ、ＩｏＴという三つの技術によって引き起こされる産業構造の劇的な変化として考えられている。「ビッグデータ」は大量のデータを意味する。

図1・3では、これら三対の技術の組み合わせが何を可能にするのかを示している。センサーによって実空間からデータを収集し、それをＩｏＴという仕組みによってクラウド上に集め、そうしたビッグデータをＡＩによって分析する。それによって一つは新しい知識を創造し、もう一つは、スマートマシンを通じて実空間に働きかけ、効率化や最適化を図る。

最近スマートウォッチやリストバンド型のヘルス器具を手首につけて、絶えず脈拍や血圧を測っている人がいる。今のところそのデータは、ただ自分の健康管理のため

図1・3 AI・ビッグデータ・IoTの組み合わせ

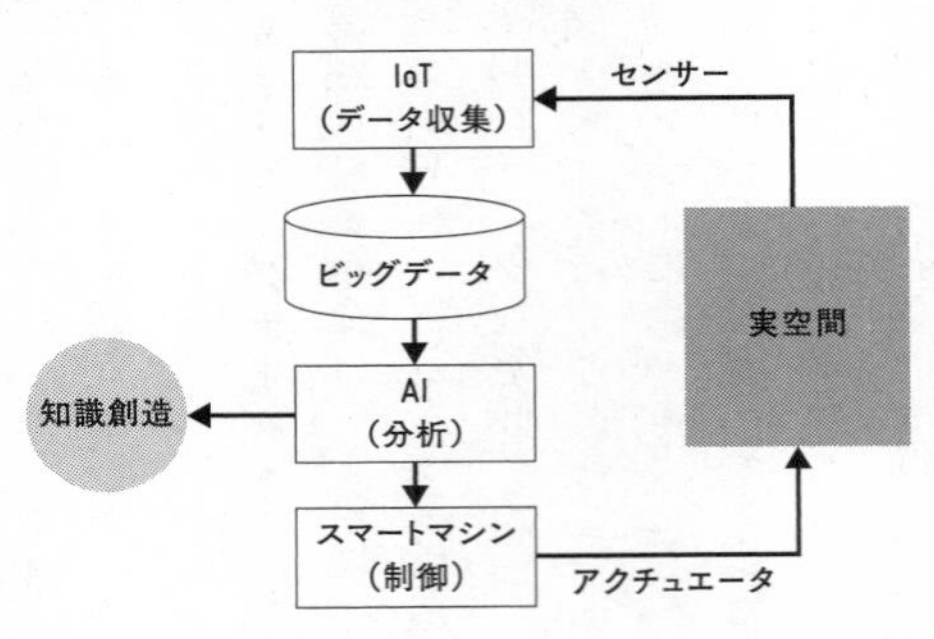

出所：筆者作成

に使われている場合が多い。

ところが、多くの人々のデータを集めてＡＩで解析したら、どういう人がガンになりやすいかとか糖尿病になりやすいかといった、医療に関する新しい知識が自動的に得られるようになる。これが「新しい知識の創造」の例だ。

次に、自動運転車が普及した未来の都市を想像してみてほしい。自動運転車には、ビデオカメラやミリ波レーダー、ＬｉＤＡＲ（ライダー）といったセンサーが備わっている。そうしたセンサーから得られるデータを収集してＡＩが解析すれば、どの道が混んでいてどの道が空いているのかを明らかにできる。

そうしたら、混雑した道を走る自動車に働きかけて空いている道に自動的に誘導するということも可能となる。これが「スマートマシンを通じたアクチュエート（モノを動かすこと）」の例だ。

街全体が賢くなって、こうして渋滞を緩和することは、スマートシティーの具体例でもある。スマートシティーでは他に、街ごとの天気の予測とか電力消費の自動的な効率化が行われる。

ドイツのインダストリー4・0

ＡＩ、ビッグデータ、ＩｏＴによって製造業を変革するドイツの取り組みを、インダストリー4・0という。ドイツ政府の諮問機関であるドイツ工学アカデミー（acatech）は、２０１１年にこの政策ヴィジョンを掲げた。

このヴィジョンの中核には、生産工程で機械が自ら学習し生産活動を効率化するスマートファクトリ（考える工場）というコンセプトがある。スマートファクトリ内では、ネットワークに接続された機械と機械が情報を交換しながら協調して動作を行うことになる。

ドイツの作家で思想家のフリードリヒ・ユンガーは、１９４６年に出版した『技術の完成』（人文書院）で既にこう展望している。

工業製品が生み出される全行程が自動メカニズムによって進められ、寸分たがわぬ形で機械的に繰り返されるならば、工場そのものが自動機械となる。労働者はもはや自働機械の仕事に手出しをせず、機械工としてその機能を点検する

——ユンガー『技術の完成』[7]

スマートファクトリとはまさに「自働機械」となった工場だ。人手は限りなく不必要となり、わずかに残った工場労働者は、タブレット型のデバイス一つで、工場全体を管理できるようになる。

「インダストリー4・0」は、しばしば「第四次産業革命」と訳されるが、この訳し方は誤解を招くだろう。というのも「インダストリー4・0」はドイツの取り組みを指す固有名詞であるのに対し、「第四次産業革命」は各国のあらゆる取り組みを含む一般名詞であるからだ。

インダストリー4・0と似たような取り組みだけでも、アメリカのGEを中心としたインダストリアル・インターネットや中国の中国製造2025がある。

実際のところ、第四次産業革命を表すのに英語では、"Fourth Industrial Revolution"（4IRと略される）という別の言葉が用いられている。

さらにいうと、ドイツのインダストリー4・0は基本的には製造業を中心とした取り組みだが、第四次産業革命は農業やサービス業にも多大な影響を及ぼすはずだ。それゆえ、インダストリー4・0は、製造業4・0などと訳されるべきだろう。

日本をいまだに工業立国のように思っている人が少なくない。ところが、日本では工業がGDPに占める割合は2割以下で、サービス業がGDPの7割以上を占めている。それゆえ、サービス業の生産性を向上させることが、GDPの増大に大きく貢献する。工業ももちろん重要だが、サービス業にAI、ビッグデータ、IoTを活用することこそが、日本のGDPを劇的に増大させるはずだ。そういう意味でも、第四次産業革命を製造業に特化したインダストリー4・0と同一視して狭く捉えるべきではない。

その点、日本政府は内閣府を中心にして、「ソサエティ5・0」というヴィジョンを掲げており、かなり広い視野を持っている。ソサエティ5・0というのは、「超スマート社会」であって、狩猟社会（ソサエティ1・0）、農耕社会（ソサエティ2・0）、工業社会（ソサエティ3・0）、情報社会（ソサエティ4・0）に続いて、これから到来する社会だ。

このヴィジョンは、経済発展だけでなく社会問題の解決にも軸足が置かれている。

高齢化や地域間格差、環境破壊などの社会問題を、AI、IoT、ビッグデータを用いて解決し、持続可能で豊かな社会を目指そうというわけだ。

日本人はヴィジョンを作るのが苦手、というかヴィジョンを作ることの重要性にすら気づいていないことが多い。だが、ソサエティ5・0は外国でも評価され受け入れられている。日本に輸出し得るようなヴィジョンが登場したことを、私は感慨深く思っている。

3 覇権を握るのはどの国か

ヘゲモニー国家

AI・ビッグデータ・IoTといった次代の汎用目的技術をいち早く取り入れ、生産活動の変革に成功した国が、第四次産業革命期のヘゲモニー（覇権）国家となるだろう。

表1・1　汎用目的技術とヘゲモニー国家

	第一次	第二次	第三次	第四次
汎用目的技術	蒸気機関	内燃機関 電気モータ	コンピュータ インターネット	AI・IoT・ビッグデータ 3Dプリンター・ロボット
ヘゲモニー国家	イギリス	アメリカ （ドイツ）	アメリカ	中国、アメリカ、 ドイツ、日本？

出所：筆者作成

ヘゲモニー国家とは、アメリカの社会学者イマニュエル・ウォーラーステインが示した概念で、世界経済の中核的な地域（欧米）の中で、さらに圧倒的な経済力を有する国家のことだ。

ウォーラーステインは、17世紀のオランダ、19世紀のイギリス、20世紀のアメリカを各時期におけるヘゲモニー国家として位置づけている。

18世紀が欠けているが、この世紀にはオランダに続く覇権をめぐるイギリスとフランスの戦争（第二次百年戦争）が続いていた。最終的にはイギリスがナポレオン戦争（1803～1815年）で勝利を収めることにより、イギリスの覇権が確立したというのが定説である。

ここで重要なのは、表1・1のように、各時期に汎用目的技術をいち早く導入し、発展させ活用した国が覇権を握っているということだ。第一次産業革命期には、最初に蒸気機関を生産の現場に導入したイギリスが覇権を握っている。

第二次産業革命は、蒸気機関の代わりに電気モータを工場の動力源として世界に先駆けて取り入れ、内燃機関の補完的発明品である自動車の大量生産を世界で最初に成功させたアメリカとドイツによって主導された。

この時期の重要な技術革新には他に、化学・石油の産業利用もある。こうした技術革新を推し進め、重化学工業を発展させることにかけてもアメリカとドイツが先行し、軽工業中心のイギリスは後塵を拝する。アメリカは１８９０年頃に工業生産量でイギリスを追い越し、ドイツは１９００年代にイギリスを追い越した。

20世紀前半は、第二次産業革命を成功させたドイツがヨーロッパで覇を唱えるものの、同じくこの革命を成功させたアメリカ（とアメリカの支援を受けた連合国）に二度の世界大戦で叩きのめされ、アメリカの覇権が確立した時期として位置づけることができる。

こうしてアメリカは20世紀のヘゲモニー国家になったが、１９９５年以降の第三次産業革命もまたアメリカによって引き起こされ牽引された。したがって、21世紀になっても引き続きアメリカがヘゲモニー国家であり続けている。

次の覇権をめぐる争いが既に始まっている。もしインダストリー４・０が成功を収めれば、ドイツがアメリカに代わってヘゲモニー国家に成り上がる可能性はある。そうなれば、第二次産業革命の際の覇権争いでアメリカに敗れたドイツがリベンジすることになる。だが、恐らく次世代のヘゲモニー国家は中国となるだろう。

リオリエント

中国が少なくとも16世紀までに、科学技術の面で先進地域であった証拠は、イギリスの生化学者で科学史家のジョゼフ・ニーダムが山ほど挙げている。「中国の四大発明」と言われる紙、印刷技術、羅針盤、火薬を生み出しただけではない。そろばん、指南車、マッチ、吊り橋、パラシュート、紙幣、広告、銃、大砲、機械式時計なども中国で最初に発明されている。

指南車は、車が向きを変えて走っても、その上に乗った仙人の人形が常に同じ方向を示し続けるからくりだ。歯車を複雑に組み合わせた機構を持ったサイバネティックなこの機械は、遅くとも2世紀には作られている。

印刷技術、羅針盤、火薬はかつて、ルネサンスの三大発明などと呼ばれて、ヨーロッパ人が生み出したものと見なされ、事実が捻じ曲げられてきた。火薬を応用した兵器である銃、大砲なども中国で発明されている。

地図1・1　南宋とその周辺

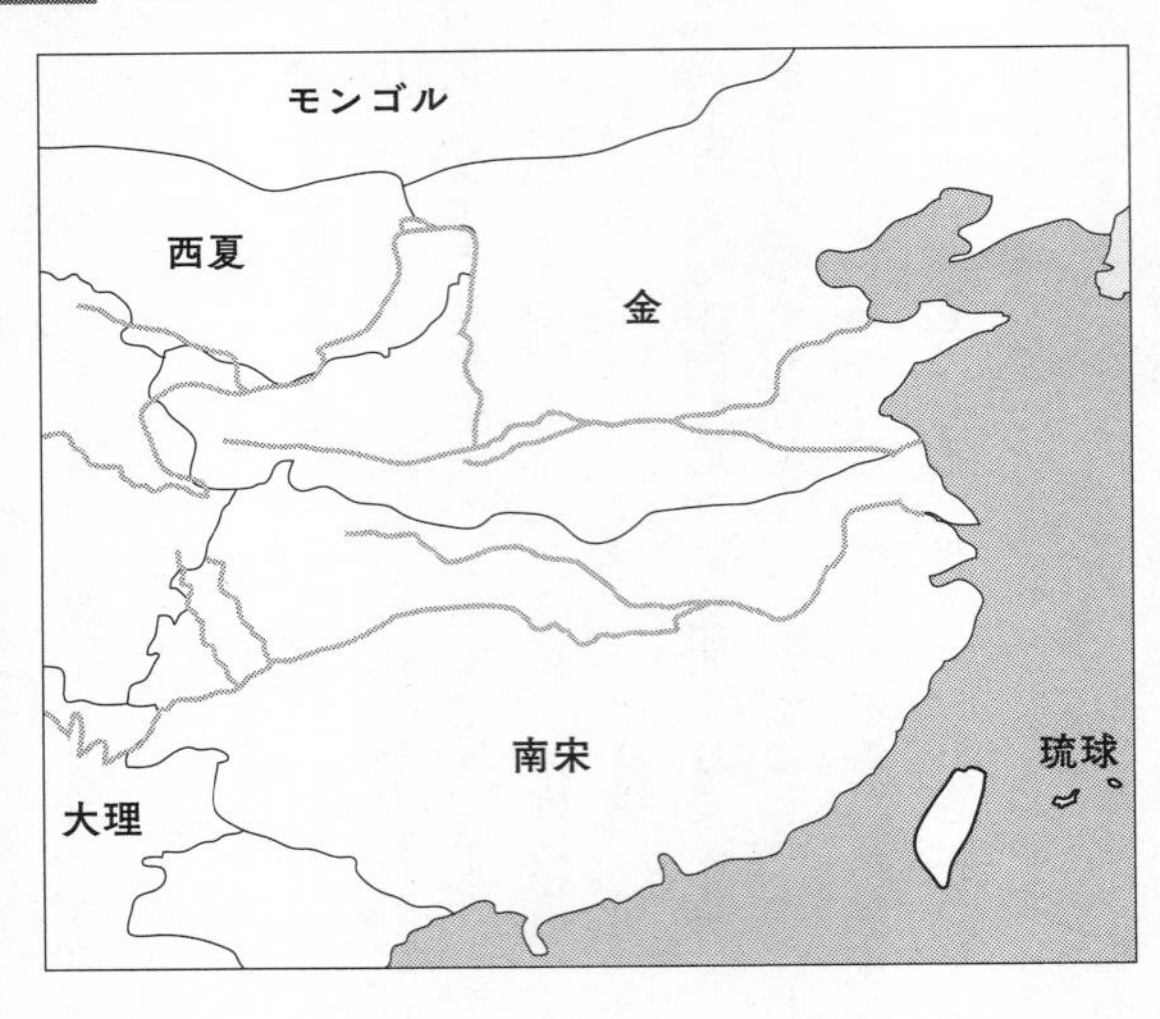

いまだに、「火薬は中国で発明されたが、中国人は花火に使っただけだった」と書いてある欧米人の執筆した著作をいくつも見る。これは一種のオリエンタリズム（西洋人による東洋趣味・東洋差別）で、アジア人を平和で大人しい人種と見なしたいのかもしれない。

火薬が発明されたのは唐の時代だが、銃、大砲にまで至る進歩が起こったのは、宋の時代だ。宋朝中国は、とりわけ西暦１１００年以降２００年近くにわたって断続的にではあるが、北方の遼や金、モンゴル帝国といった遊牧国家と

元寇

モンゴル帝国（元）による日本への侵攻。その際モンゴル軍は、鉄片をまき散らして人を殺傷する手榴弾のような火薬兵器「震天雷」（しんてんらい）を用いている。元々は南宋で発明されたものであるが、戦争を介して金や元に伝わったのである。日本でこの兵器は「てつはう」と呼ばれていた。種子島に鉄砲が伝来する300年近く前に、既に日本人は火薬兵器に遭遇していたことになる（©Bridgeman/PPS通信社）。

存亡をかけた血みどろの総力戦を繰り広げている。それに比べたら同時期のヨーロッパの戦争は小競り合いでしかない。

当時の中国には、竹や金属の筒に詰めた火薬に火をつけて、火花や有毒物、陶器の破片などを数分間敵に浴びせかける火槍（かそう）という銃や大砲の元になる火薬兵器があった。[8]

火槍が１２８８年頃、南宋の滅亡直後の中国で、火薬を瞬時に爆発させて矢を発射させる壺型の銃へと改良されていた。この壺型の銃は、14世紀にモンゴル帝国とロシアを経由してヨーロッパへ伝えられている。

南宋で１１００年頃に発明された大砲は、13世紀のモンゴル・南宋戦争のさなかに様々なヴァリエーションが開発された。それらには、威遠砲（いえんほう）や迅雷砲（じんらいほう）といった週刊少年ジャンプ的な凝った名前が付けられている。

ヨーロッパで銃や大砲が戦争で使われるようになったのは、15世紀のことだ。それにもかかわらず、つい最近まで歴史学者の間でさえ、銃、大砲はヨーロッパ人が発明したものと考えられていたのである。

私たちアジア人も、ヨーロッパ人が作り上げたヨーロッパ中心的な歪んだ世界史のパースペクティブに支配されてきた。ただ、その歪みは、1990年代に始まるグローバルヒストリーという新しい枠組みに基づいた歴史研究によって正されつつある。グローバルヒストリーは、ヨーロッパを相対化し、地域間の相互連関を世界的視野から見ることがその主な特徴である。

ドイツ生まれの経済史家アンドレ・グンダー・フランクの『リオリエント』（藤原書店）も、グローバルヒストリーに基づいた著作の一つだ。リ（re）は再びを意味する接頭辞であり、オリエントはこの場合アジアを指している。つまり、再びアジアの時代になるという含意の込められた題名だ。

この著作によれば、経済面でヨーロッパが中国を凌駕するようになったのは1800年を過ぎてからであり[9]、経済の中心は今アジアへ、とりわけ中国へ戻りつつある。そうすると、中国が没落していた期間は歴史上たかだかこの2世紀くらいにしかすぎないことになる。

ヨーロッパは大航海時代以降の新大陸から収奪した金や銀によって、アジアの産品を買って一時的に勃興したにすぎないとフランクは述べた。その点に限っては、私の見解はフランクのものとは異なっている。

新大陸からの収奪は、間接的にはヨーロッパの勃興に影響している。だが、1800年以降にヨーロッパが中国を凌駕するようになったのは、産業革命によって資本主義（産業資本主義）に移行したからであり、資本主義にはとにもかくにも資本（機械設備）が必要だ。機械の産業への積極的な活用がなされていなければならない。機械技術が、近世以降のヨーロッパで急速に進歩するのに対し、中国では停滞していた。それゆえ、生産活動に機械を全面的に取り入れた経済である「資本主義」に移行するのが、イギリスをはじめとするヨーロッパの方が中国より早かった。[10]

時計について言えば、西暦1100年頃には中国が最も進んでおり、北宋の蘇頌（そしょう）が10メートルもある大規模な水力時計を作っている。複雑に歯車が組み合わせられており、世界で最初の機械式時計と見なされている。ところが、中国の時計はその後ほとんど進歩した形跡がない。

蘇頌の水力時計が伝えられたヨーロッパでも、14世紀には機械式時計の製造が始まっている。15世紀にはゼンマイを動力源に用いることで時計はコンパクトになり、持ち運びが可能になった。

17世紀にはガリレイの振り子の研究を応用して振り子時計が作られ、時を示す精度が向上した。腕時計が登場したのは18世紀で、腕を振るだけでゼンマイが巻かれる自動巻き機構もその頃発明されている。

清朝中国の皇帝は、18世紀にこうしたヨーロッパの機械式時計を輸入してコレクションにしていた。中国でもヨーロッパの時計を真似て製造していたが、自ら進歩し改良させることはほとんどなかった。

どう見ても、1800年頃の中国とヨーロッパを比べると、機械技術のレベルははるかに異なっている。そして、近代以降は機械化の度合いがヘゲモニー国家を決定する最も大きな要因となっている。

世界の覇権は中国に回帰する

私は2年前まで、次のヘゲモニー国家の本命をアメリカとしていたが、今はそれを中国に置き換えている。次代の最もクリティカルな（決定的に重要な）機械である

AIに対する政府および民間の取り組みが、大国の中で最も活発であるからだ。

機械学習ベースの今のAIは、データを読み込ませることで賢くなるから、データが豊富な中国は優位であるとしばしば指摘されている。

アリババの会長ジャック・マーは、「データを制する者は世界を制する」と口にしている。「人工知能を制するものは世界を制する」という私の言葉に似ているが、データがいかに高い価値を持っているのかということを表している。

確かに、中国は人口が多く、また独裁的な国家であるために人権を軽視して個人情報を収集できるのでたくさんのデータが得られやすい。先に述べたAIカメラによる監視は、その際立った例だ。

だが、「人権を無視しているから中国は発展している」とばかり言っているのは、一種の負け惜しみのようだ。ズルしているからあいつらは勝って、ズルしていないからオレたちは負けたとでも言いたげである。

そもそも、人権無視が中国躍進の最も重要な原動力というわけではない。そうではなく、AIを含めたITを発展させようという政府と民間の貪欲な姿勢にこそ注目すべきだ。

中国政府は、2017年7月に発表した次世代AI発展計画で、2025年までに、AIに関する一部の基礎技術と応用技術を世界トップ水準に引き上げるとしている。また、2030年までに、AIの理論、技術、応用のすべての分野を世界トップ水準に引き上げ、中国を「世界の主要なAIイノベーションセンター」にすると謳っている。

民間企業の躍進ぶりを見ると、それらの目標は全く夢物語ではない。それどころか、達成時期を前倒しにすることすら可能ではないかと思われる。中国の巨大IT企業がAIに対して莫大な投資を行っているからだ。

世界のIT企業の時価総額ランキングを20位まで見ると、2013年にはアメリカ企業が18社、中国企業が2社（テンセントとバイドゥ）ランクインしていた。2018年には、表1・2のように、アメリカ企業が11社、中国企業が9社となっている。他の国の企業は入っていない。

ベスト5は、アップル、アマゾン、マイクロソフト、グーグル、フェイスブックというおなじみのアメリカ企業だが、そのすぐ下の6位と7位には中国企業のアリババとテンセントが食い込んでおり、13位にはバイドゥがランクインしている。

9位はアリババ傘下の金融関連会社アント・フィナンシャルで、決済システムのアリペイや信用評価システムの芝麻信用を展開している。

表1・2　世界のIT企業の時価総額ランキング（2018年）

順位	会社名	国	順位	会社名	国
(1)	アップル	アメリカ	(11)	ブッキング・ホールディングス	アメリカ
(2)	アマゾン・ドット・コム	アメリカ	(12)	セールスフォース・ドットコム	アメリカ
(3)	マイクロソフト	アメリカ	(13)	バイドゥ	中国
(4)	グーグル／アルファベット	アメリカ	(14)	シャオミ	中国
(5)	フェイスブック	アメリカ	(15)	ウーバーテクノロジーズ	アメリカ
(6)	アリババ集団	中国	(16)	DiDiモビリティ	中国
(7)	テンセント	中国	(17)	JDドットコム	中国
(8)	ネットフリックス	アメリカ	(18)	エアビーアンドビー	アメリカ
(9)	アント・フィナンシャル	中国	(19)	メイチュアン	中国
(10)	イーベイ＋ペイパル	アメリカ	(20)	トウティアオ	中国

出所：各種資料より筆者作成

アリペイは日本のペイペイのようなスマホを使ったQRコード決済を可能にするシステムだ。中国では、買い物の際に現金をあまり使わずに、アリペイやテンセントが提供するウィーチャットペイなどのモバイル決済で済ませている。全決済のうちモバイル決済の占める割合は、2017年12月には65・5%にまで至っている。[11]街中で物乞いが、QRコードの印刷されたカードを首からぶら下げたり掲げたりすることもあるくらい中国ではモバイル決済が普及している。お金を恵む人は、このQRコードをスマホアプリで読み取って決済（？）を行うというわけだ。

なぜ、中国でこうした巨大IT企業が育ったのか。人口が多いからそれだけ優れた起業家が生まれやすいということもある。日本でいう楽天の三木谷浩史氏やZOZOの前澤友作氏のような起業家が、中国ではそれこそ雨後の筍のように続々と現れているのである。単純な話、人口が多ければそれだけ売り上げや利益が大きくなるということもある。

ネット鎖国を行っていたため、アメリカのIT企業が進出しにくかったこともプラスに働いている。中国独自のIT企業がアメリカ企業によって潰されるのを避けることができたのである。実際、グーグルの代わりにバイドゥが検索エンジンを提供し、フェイスブックの代わりにテンセントがSNSを展開し、アマゾンの代わりにアリババがECサイトで莫大な売り上げを築いている。

中国は巨大なガラパゴスであり、消費者の志向は欧米や日本とかなり異なっているので、そもそも外国企業が進出しにくい土壌でもある。例えば、中国の消費者は、ECサイトであっても問い合わせに応じてくれることを望んでおり、アリババはまめな対応を行ってきたので、アマゾンに打ち勝てたとも考えられる。[12]

中国に優れたIT企業が数多く生まれた要因を議論する際に、最も注目すべきなのは、図1・4で表されるようなエコシステムだ。政府はITベンチャーを育てるため

図1・4　中国のIT企業を取り巻くエコシステム

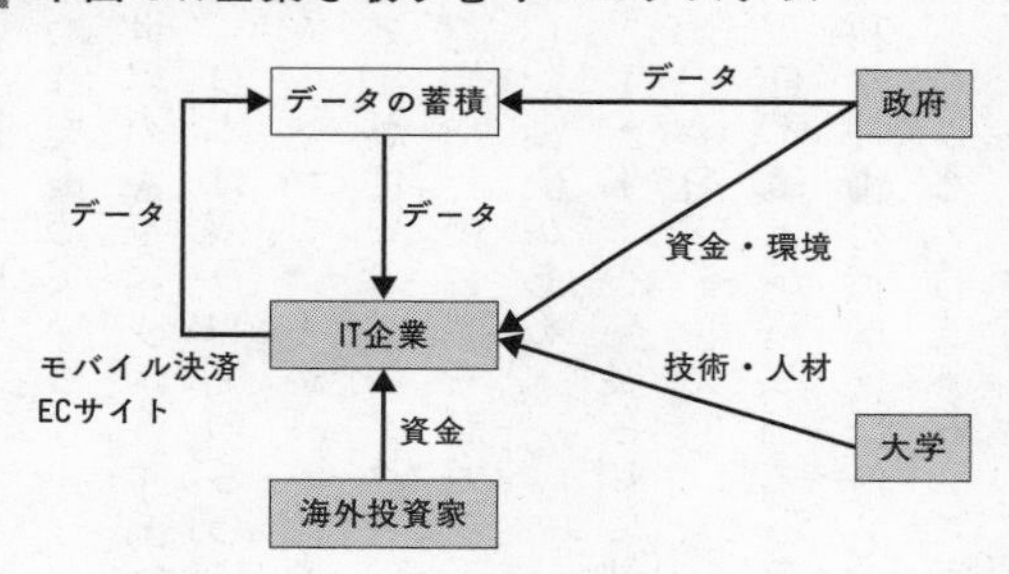

出所：筆者作成

の資金やインキュベーション施設、コワークスペースなどの環境を提供している。

大学は、優れた技術や人材を企業に提供している。近年、中国の大学の質は著しく上がっており、アジアの大学ランキングでは、精華大学が東京大学を抜いて首位に登り詰めている。

IT企業の中でもモバイル決済やECサイトを提供しているアリババやテンセントのような企業にはデータが蓄積される。政府のデータもまた民間部門での活用が許容されている。

これらのデータを用いた新しいサービスが提供されて、それによってまたデータが生み出されるという好循環が起こっている。一度この好循環が発生し、成功したビジネスが立ち現れると、外国投資家からも投資の対象となる。

こうして育ったBAT（バイドゥ、アリババ、テンセント）を中心とした巨大ＩＴ企業は、グーグルやアマゾン同様にＡＩに莫大な投資を行っている。２０１８年の中国のＡＩ関連投資は４兆円程度であり、世界の４分の３を占めている。[13]

世界のＡＩベンチャーの資金調達額のうち、中国が48%を占め、アメリカは38%だ。日本は残り14%のさらにほんの一部を占めるにすぎない。

ＡＩベンチャーが高い技術を保持していることも見過ごせない。センスタイムやメグビーが世界トップクラスの画像認識技術を持っていることは既に述べた通りだ。音声認識や音声合成で有名なアイフライテック社は、音声合成コンテストで13年連続優勝した実績がある。

　ＡＩ・ＩＴを発展させて勃興する中国とは対照的に、日本は没落しつつある。アメリカ、中国、インドといった超大国によって未来に繰り広げられる覇権争いの土俵に、日本は上がることすらできないだろう。

　科学技術の振興に失敗し、巨大ＩＴ企業が存在しない日本は予選落ちのありさまで、今から人権を無視してデータ集めに奔走したところで勝てるわけがない。我が国は、このまま順調に推移すれば、覇権どころか次々と追い抜かれて「後進国」の地位へと転落するだろう。

4 頭脳資本主義と日本の衰退

自動車産業がIT産業になる日

第三次産業革命期に、日本はアメリカに完全に敗北した。私たちの利用しているネット上のサービスは、フェイスブック、グーグル、アマゾン等々である。パソコンのオペレーティング・システム（基本ソフトウェア、OS）はマイクロソフトかアップルが提供したもので、スマホのOSは大半が、グーグルかアップルの産物だ。

この革命では、デジタル空間の勝負だから負けたが、第四次産業革命では実空間の勝負となるから、モノづくりに強い日本は有利ではないかという期待が抱かれている。そうであれば、日本はこの革命で逆転できるだろう。

しかし、AIを含むITが実空間に進出し、ビットがアトムを支配するようになる第四次産業革命では、ありとあらゆる局面でITが勝負の決め手となる。あらゆる産業がIT産業となるので、企業はIT企業にならなければ生き残れなくなる。だとすれば、ITが不得手な日本はますます不利となる。

経済協力開発機構（ＯＥＣＤ）による２０１３年の国際成人力調査では、日本人の大人の読解力と数的思考力は、ＯＥＣＤ24カ国中ともに1位だ。にもかかわらず、「ＩＴを活用した問題解決能力」は、11位とかなり順位が落ちる。

それでも真ん中よりかろうじて上だが、日本がかつてアメリカに次ぐ科学技術大国だったことを考えると、この順位は低過ぎると言えるだろう。

加えて、10代の子供たちのパソコン保有率は主要国の中で飛び抜けて低く、この先さらに日本人のＩＴスキルが相対的に下がっていく可能性は高い。

さらに、日本では経営者の平均年齢が高い。年輩者ほど先端的な技術についていくのは難しい傾向にあるので、日本企業はＩＴの導入に対してしり込みしがちだ。例えば、クラウド会計ソフトの導入率は、アメリカで40％、イギリスで65％であるのに対し、日本は14％ほどである。

日本企業がＡＩを含むＩＴを使いこなすのが苦手だとすると、自動車産業のようなモノづくりの分野でも、劣勢に立たされるようになるかもしれない。

自動運転化が進んだならば、自動車のハードウェアを作ることはそれほど利益を生まず、自動車のソフトウェア部分が莫大な利益を生むようになるだろう。自動車産業がＩＴ産業化してしまうのである。

自動運転車はＡＩによって制御されるが、そのＡＩはＯＳ上で動作する。ワードやパワーポイントなどのソフトウェアがマイクロソフト・ウィンドウズというＯＳ上で動作するのと同様だ。

そうすると、パソコンのハードウェアを製造しているパナソニックのような企業よりも、ＯＳを提供しているマイクロソフトの方がはるかに儲かっているのと同様のことが起きる（日本ではパソコンメーカーは儲からなくなったので、そのほとんどが中国や台湾などの企業に売却されている）。

要するに、自動車に搭載されるＯＳである車載ＯＳのデファクト・スタンダード（事実上の標準）の座を勝ち取った企業が、市場を独占（あるいは寡占）するのである。グーグルが、車載ＯＳの独占企業になるかもしれない。

さらに悪いことに、電気自動車の普及は、自動運転車の普及とともに、日本の自動車産業を劣勢に追い込むだろう。電気自動車は、ガソリン自動車とは異なって仕組みが単純だ。前者の部品数が約１万点で、後者の部品数の約10万点に対して少ないばかりではない。

ガソリン自動車の製造には、部品を互いの影響関係を考慮し調整しながら組み合わせる技術が必要だ。日本企業は、「摺り合わせ」と呼ばれるこの技術に秀でている。

それに対し、電気自動車は部品をブロックのように単純に組み立てれば製造することができる。このようなコモディティ化が進めば、今日パソコンが台湾の小さなベンチャー企業で製造できるのと同様に、自動車もトヨタや日産自動車のような大企業でしか作れない商品ではなくなる。

その時、自動車産業の勝敗を決定づけるのは、デザイン力やブランディング力、消費者に新しいライフスタイルを提示するヴィジョン力など、言わばスティーブ・ジョブズ率いるかつてのアップルが持っていたような能力だ。

実際、電気自動車・自動運転車のメーカーとして有名なテスラは、シリコンバレーのベンチャー企業であり、優れたデザインの自動車を世に送り出している。

ただし、自動車は人の命を預かっているので、安全に関する技術の蓄積が重要であり、パソコンや電化製品のように簡単にコモディティ化しない可能性もある。テスラの自動運転車が引き起こした死亡事故は、二度ほど大きなニュースになっている。

いずれにせよ、第四次産業革命期には、あらゆる産業で多かれ少なかれ、製造の自動化が進行し、組み立てが付加価値をさほど生み出さないようになる。

図1・5に表されるようなスマイルカーブ理論がいずれ、あらゆる産業に当てはまるようになる。付加価値を生むのは、研究開発、設計・デザインといった上流工程

図1・5　スマイルカーブ理論

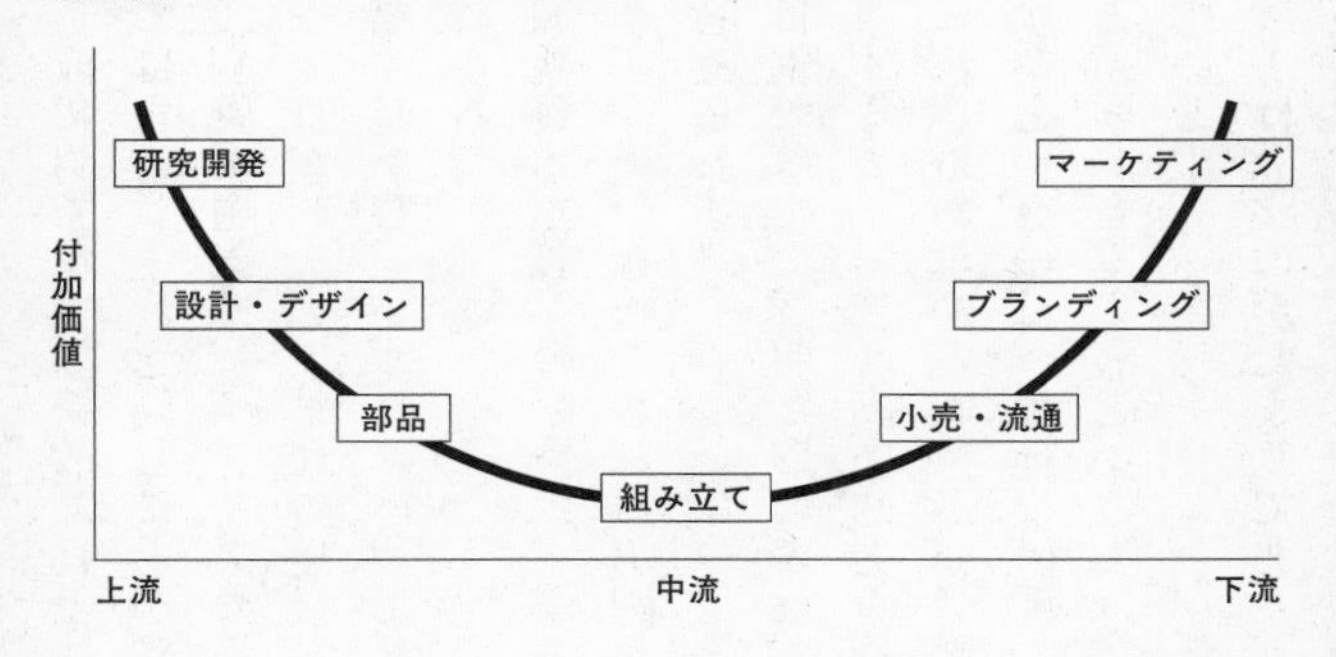

出所：筆者作成

や、ブランディング、マーケティングといった下流工程だ。つまり、これからの労働者に求められるのは頭脳であり、知恵やセンスである。

頭脳資本主義とは何か？

これから世界は、労働者の頭数ではなく、人々の頭脳レベルが一国のGDPや企業の収益を決定づけるような経済である頭脳資本主義に転換していく。頭脳資本主義はもともと、神戸大学の松田卓也名誉教授の作った用語だ。

軍事の世界では、一足先に頭数は重要ではなくなっている。戦争の勝敗を決定づけるのは、自らの命を顧みずに銃剣突撃してくれる歩兵の数ではなく、ハイテク兵器の質とそれを使いこなす職業軍人の質だ。

したがって、徴兵制度を敷いて、かたっぱしから成年男子を勇猛果敢な兵士に仕立て上げたところで、戦力がそれほど増強するわけではない。それと同じことが経済の分野でも起きるのである。

頭脳資本主義は、イタリアの経済学者アンドレア・フマガリらが用いた認知資本主義やオーストリア生まれの経営学者ピーター・ドラッカーの知識社会とも類似した概念だ。しかし、いずれの言葉よりも語呂が良いのでここでは頭脳資本主義を用いることにする。

頭脳資本主義への転換は、第三次産業革命（ＩＴ革命）の進行に伴って起こりつつあり、今後引き起こされる第四次産業革命（ＡＩ革命）によってさらに深化するものと考えられる。

日本ではまだ鮮明な形で表れていないが、アメリカでは既に、ＩＴ産業や金融業に従事するごく一部の高い知力を持った労働者が、莫大な富を生み出している。

これからあらゆる産業が、労働集約型ではなく知識集約型になっていく。知識集約型産業というのは、単純な労働力ではなく知力がより必要とされる産業だ。言い換えると、頭脳資本主義というのは、多くの産業が知識集約型になったような経済を意味している。

ＡＩは数学のかたまりであり、人類史上今ほど数学がお金になる時代はない。これまで一般的なシステムエンジニア（ＳＥ）は、ほとんど数学を必要としていなかった。大学時代に数学が得意だった私の同級生は、ＳＥになって数年後には「Σ（シグマ）ってどうやって計算するんだっけ？」と驚くような言葉を発していた。Σは、いくつかの並んだ数を足していくという意味で、高校で習うごく基本的な記号だ。ＩＴ産業に従事する技術者ですら、数学がそれほど必要とされていなかったのである。

数学が必要とされる分野の技術者でも、報酬が他の職業に比べてとりわけ多いわけではなかった。例外なのは金融工学で、数学が得意な者が億単位の報酬を得るケースもあった。だが、今はＡＩの普及に伴って数学力のある人材の需要は激増している。

アメリカでは、ＡＩの分野で博士号を取った学生は、多ければ５０００万円ほどの年収の職に就ける。プロジェクトリーダーともなれば、数億円、数十億円という大リーグ選手並みの報酬を得ることもある。

少人数で付加価値を生み出している組織が破格の額で買収されることもある。２０１２年に当時の社員数13人のインスタグラムは、フェイスブックに約10億ドル（当時のレートで約８１０億円）で買収された。これはフェイスブックにとって最も素晴らしい買い物だった。というのも、２０１８年には、インスタグラムの評価額は買収額の１００倍の１０００億ドル（約11兆円）と推定されているからだ。

アルファ碁という囲碁のＡＩを開発したディープマインド社はもともとイギリスの会社だが、２０１４年にグーグルに4億ドル（約４００億円）以上で買収されている。

２０１４年当時、ディープマインド社は社員が50人ほどしかおらず、工場や資産を有しているわけでもなかった。ただ、創業者デミス・ハサビスをはじめとする社員の頭脳が4億ドル以上の価値を持ったのである。

世界ではこうした熾烈な頭脳獲得競争が起きており、それも頭脳資本主義の表れだ。日本の企業や大学は頭脳獲得競争にも乗り遅れている。世界から頭脳を獲得できていないどころか、日本からの頭脳流出を防ぐこともできないでいる。

２０１７年4月、一橋大学の教員が香港科技大学に転職するとツイッターでつぶやいて話題になった。転職理由は給与の違いであり、前職は６３４万円、転職先は１５００万～１６００万円だという。

これをもって、みなし公務員である国立大学の教員の給与を諸外国の教員並みにすべきだとはただちには言えないだろうが、頭脳流出を防げていない事実には変わりない。

日本が「後進国」に転落する日

一言で頭脳といっても、企業内での意思決定力から芸術作品を作る能力までいろいろあるが、これから重要性が増してくるのは、科学技術力だ。現在そしてこれから、経済や社会に対して革命的な変化をもたらすのがＡＩを中心とした科学技術である以上、それは自明のことだろう。

その科学技術力が日本では劇的に衰退している。大きな理由は二つあって、一つは既に述べた大学教員の研究時間の減少であり、もう一つは地方の国立大学の疲弊である。

国立大学は、２００４年に独立行政法人化（独法化）がなされて、各大学の運営の自主性が強化された。それとともに、予算が傾斜的に配分されるようになり、実績を上げた大学には多くの予算が、そうでない大学には少ない予算が充てられるようになった。

国立大学への基本的な補助金である運営費交付金は毎年前年比で１％ほど減らされており、この10年間で10％以上減少している。一方で、優れた研究課題を持った研究者に予算を配分する競争的資金は増大している。

競争的というと市場競争を想起するかもしれないが、選ばれた特定の審査員が良し悪しを判断する計画経済的な競争だ。計画経済というのは、ソ連で採用されていたような中央当局が一国の経済すべてをコントロールするような制度である。

国立大学においてこのような傾斜配分を行うと、もともと研究成果の多い東京大学や京都大学などの旧帝大は予算を増やしてもらえるので、ますますその予算を使って研究成果を上げることができる。

逆に、地方の国立大学は、もともと研究成果が比較的少ないので予算を減らされ、ますます研究成果を上げることが難しくなるという悪循環に陥っている。研究室に最低限必要な、コピー用紙や印刷機も十分に買えないような研究室も出てきている。

大学における教員の地位は、高い順に教授、准教授、助教となっており、通常は勤務年数や研究成果を鑑みて昇進が決定される。地方の国立大学ではこうした条件を満たしているにもかかわらず、例えば准教授から教授へいつまで経っても昇進できないケースも発生している。昇進すると給料を増やさないといけないが、予算が乏しいから昇進させることができないという。

かつては、国立大学に勤務できることは学者の夢だった。私立よりも給料は少ないものの雑務が少なく研究時間をたっぷりとることができるからだ。

今では、雑務も増えて研究費も少なく昇進もできないのが、地方の国立大学の実情きている。

だ。そんなところに勤めていてもうまみがないから私立大学へと教員が続々と移って

地方の国立大学の教員も大事な研究の担い手のはずだが、そうした大学がここまで疲弊したことが、日本の科学技術衰退の理由の一つだ。

もはや日本は科学技術立国としてやっていけるかどうかの瀬戸際に立たされている。日本は科学技術の研究という最も付加価値を生むクリエイティブな営みに、時間もお金を費やさなくなっているのである。今のところ、改善しようという気配すらまるで感じられない。

こうした危機的事態については、文部科学省だけでなく、予算を割り当てるとともに研究・教育行政に口を出す財務省や危機意識が足りない政府、私も含めた大学教員にも責任はある。

このまま何の手も打たなければ、日本そのものが「後進国」となるだろう。何しろ、この頭脳資本主義が到来した時代に、頭脳を働かせて付加価値を生む研究という営みを減らして、他の作業にかまけているのだから。

中国やインドどころかASEAN諸国に、科学技術力や経済力で追い抜かれる日もそう遠くはない。だが、逆転の秘策が全くないわけではない。その点については、第

7章で論じたい。

5 AIがもたらすのはユートピアかディストピアか

技術の血塗られた歴史

日本はAIの研究開発とその導入を速めていかなければならない。その点について、私は多くのAI研究者や起業家と意見を同じくする。

ところが、研究者や起業家の中には、AIが失業をもたらすとか人々の生活を脅かすといった社会的問題について議論する必要はなく、「四の五の言わずにとにかくAIを作って導入すればいい」などと主張する人がいる。少々危険な態度であると言わざるを得ない。

自動車メーカーのトップが、「自動車がもたらす事故や公害についての社会的な議論は必要ない」と言ったら暴論として非難されるだろう。

自動車が人を轢き殺す恐ろしい凶器になり得ることは間違いない。それでも、歩道や信号機を設置したり、道路交通法を整備することによって、自動車事故を減らすことができる。

残念なことに、技術を論じる人々は技術をただ賛美するだけの立場と技術進歩を全面的に否定する立場に分かれがちだ。技術の引き起こす問題を直視することによってこそ、それを解消して技術をより望ましいものに改善できるはずだ。技術の問題点を指摘することは、技術進歩を否定することとは異なる。

そもそも技術は、血塗られた歴史を持っている。技術が商業と結びつくのは、1800年前後に発生した第一次産業革命においてである。それ以前には、槍や弓から始まってチャリオット（戦闘用の馬車）、カタパルト（投石機）、銃、大砲といった数々の人類の発明品を見れば分かるように、多くの技術が戦争によって発展させられてきた。

好奇心や偶然の産物として石鹼や傘、紙など直接戦争と関係のない物品も生み出されてきた。ただ、近世以前には金儲けのために発明するという誘引はほとんど働くことがなく、技術進歩を加速させるものは戦争に他ならなかったのである。

近代以降の技術には、それ以前と比べてはるかに巨大な暴力性が伏在している。蒸気機関や内燃機関は、生身の人間の力をはるかに超える動力源になり得る。それゆえに、人間の雇用を奪ったり人間を轢き殺したりし得る。

したがって、私たちは野生馬を飼いならすかのように、技術を適切にコントロールする方法を常に模索し続けなければならない。あるいはまた、コントロールし切れずに破滅的な事態を招く可能性についても想いを馳せなければならない。

科学は長らく知的好奇心に基づく活動に留まっていたが、1900年前後に発生した第二次産業革命において、ようやくのこと技術と結びつき商業とも結びついた。その結果生み出されたのが、化学薬品や合成繊維、農薬、電灯、電話などだ。

技術は相変わらず戦争とも分かち難く結びついており、19世紀にも機関銃やダイナマイトが発明されている。第一次世界大戦は、戦車や戦闘機、火炎放射器といった第二次産業革命期に生み出された技術を応用した機械の見本市と化した。

第一次世界大戦には化学兵器も用いられ、技術だけでなく科学も本格的に参戦を果たした。戦場で伝令兵を務めていた若き日のアドルフ・ヒトラーもマスタードガスを浴びて一時的に失明している。

続く第二次世界大戦では、レーダーやミサイル、核兵器といった科学者の研究成果が続々と投入され、科学技術力が勝敗を分けるほどに大きな影響を持つようになった。フリードリヒ・ユンガーが『技術の完成』を出版した1946年は、第二次世界大戦の終結した翌年だ。

技術の進歩と戦争遂行は、その関係を次第に強めていく。今日では、戦争が起こった場合、国家の有する技術的潜在力が戦局を決定づける状況に至っている

技術的に組織化された経済が次第に戦争経済となるように、技術は次第に戦争技術となる。技術はその軍備的性格を剝き出しにしていくのだ

――ユンガー『技術の完成』

平和時に技術は、経済的な繁栄のためにあるかのように思いなされる。しかし、ひとたび戦争が始まれば、技術はその暴力性を剝き出しにして、はばかりなく人々の命を蹂躙して回る。

未来派の戦争賛美

核兵器は、人類を滅び尽くすほどの強大な力を持っているので、「未来派」の観点から見れば今のところ科学技術の最大の成果ということになる。

「未来派」は、20世紀初頭にイタリアで起こった前衛的な芸術運動だ。中心人物であるイタリアの詩人フィリッポ・マリネッティは「未来派宣言」で、

> 爆発音をとどろかせる蛇のような太い管で飾られたボディをもつレーシング・カー……咆哮をあげて、機銃掃射のうえを走り抜けるような自動車は『サモトラのニケ』の像より美しい
>
> ――マリネッティ「未来派宣言」[14]

と機械を賛美するとともに、

> われわれは戦争――世界の唯一の衛生法――軍国主義、愛国主義、アナーキストの破壊的行為、人殺しの美しい思想、そして女性への軽蔑を賛美することを欲する
>
> ――マリネッティ「未来派宣言」[15]

などと戦争を称揚している。戦後民主主義的な価値観にどっぷり浸かった私たちからすると、受け入れ難いことばかりのたまっているわけだ。

かわり者の戯言だと思っただろうか。だが、マリネッティが魅せられたのは、機械、技術、スピード、攻撃、破壊であり、これらは近代のダイナミズムを生み出す根本要因だ。未来派宣言の否定は、近代の否定と言えなくもない。

攻撃や破壊にピンとこない人がいるかもしれないが、それは核兵器が日本の二つの都市に落とされ、第二次世界大戦が終結してから、70年以上も後の時代を私たちが生きているからだ。

既に述べた通り、核兵器はある意味で科学技術の最大の成果だ。同様のことだが、二つの世界大戦は近代の総決算である。第6章で詳しく論じるように、近代はそもそもヨーロッパの絶えざる戦争状態から立ち現れてきたからだ。近代化の果てに破滅的な大戦の起こることは、運命づけられていたとすら言える。

マリネッティは実際に両大戦に従軍し、ファシスト党に入党した。ファシスト政権下のイタリアがエチオピアに侵攻した時にも、戦争賛美の宣言文を発表している。マリネッティにとって戦争は、機械たちが織り成す美しくも狂おしい壮大なオペラなのである。

文芸評論家の福田和也氏は、

マリネッティの技術の発達は人間に無限の可能性を開くだけではなく、人間それ自体をより優れたものに変えていく、という考え方は、おそらく現在最も一般的な技術に対する見方、普及したイデオロギーであり、クリシェとなった考え方を先取りしたものだろう

——福田和也『イデオロギーズ』[16]

と論じている。

今日、AIは人間の能力をオーギュメント（拡張）するとか、エンハンス（強化）するといった言い回しが流行っているが、そういった紋切型の言い回しの起源に向かって遡行すればマリネッティに行き着くのである。オーギュメントされ、エンハンスされた人間の能力を披露する最高の舞台が戦争というわけだ。

マリネッティのスローガンから戦争賛美を取り除いてしまえば、情報革命の賛美者たる今日の先進国の知的大衆の想念と寸分違いはあるまい

——福田和也『イデオロギーズ』[17]

今日技術を賛美する者は戦争を賛美せず、代わりに「ＩＴは人々の暮らしを豊かにする」などと品の良いことばかり言う。声高にそう唱えるとしたら、技術の持つ血塗られた過去を隠蔽するためとまでは言わないが、何か後ろ暗い気持ちを隠すためだろう。

医者や看護師は、「医療は人々を救う」とか「医療は社会に貢献する」などと、わざわざ言い立てることがない。それらは自明であり、自らの営みに自信を持っているからだ。

「ＡＩは人間と共存する」とか「協調する」というような言い回しが今日飛び交っているのは、自信のなさの表れだ。それだけＡＩは世の人々の暮らしぶりを向上させるのかどうか不確かな技術なのである。デジタル・レーニン主義はその分かりやすい例であり、ＡＩは全体主義的な支配の道具にもなり得る。

社会に貢献したいとか人々の暮らしぶりを向上させたいという一心で、ＡＩ技術の発展に取り組んでいる研究者や起業家がいることを私は知っている。

その一方で、ＡＩの研究開発や導入がこれほどまでに促進される主たる理由は、研究者どうしが研究成果を競い合い、企業どうしが経済的に競い合い、国どうしが経済的・軍事的に競い合っていることにある。

あるいはまた、ＡＩが人間の力をオーギュメントし、エンハンスする悪魔的な魅力を秘めていることにある。ロシアのプーチン大統領が「ＡＩを制する者は、世界の支配者になる」と口にしたのは、言わば本音を吐露してしまったのである。

技術によって高められた人間の力は、時には他の人間の生を情け容赦なく踏みにじる。第一次・第二次世界大戦という二つの総力戦で人類が経験したのは、そのような地獄だ。原子爆弾のきらめきがいかなる惨事をもたらしたのかを、今一度想い起こしてほしい。

ただし、オーギュメントされ、エンハンスされた人間の能力を披露する最大の舞台は、今や戦争ではなく経済だ。１９４５年以降、軍事力の競合は続いているものの、大国どうしの総力戦は起きにくくなったからだ。

ＩＴ産業は勝者総取り経済であり、あらゆる産業がＩＴ産業化しつつある。今後はこうした産業において、ＡＩやＩｏＴといった先端技術の持つ巨大な力を手にした者が勝者となり、すべての利益をさらっていくだろう。

ＧＡＦＡ（グーグル、アップル、フェイスブック、アマゾン）が今のところ勝者として頂点に君臨している。その裏面としてアメリカでは、既存の小売業が破壊されたり、中間層の雇用が奪われたりしている。血は流れないが、涙は流れる熾烈な争いだ。

「デジタル・ユートピアでは、誰もがヒップでリッチになるだろう」[18]などといった楽観的な展望を覆すような統計データばかりがお目見えしている。ITによって格差が拡大し続けているのである。今や、アマゾンのCEOジェフ・ベゾスを筆頭とした世界で最も裕福な26人が、貧しい人たち38億人の総資産と同額の資産を持っているという。そのベゾスがベーシックインカム（BI）の導入を唱えている。

ベーシックインカムは、生活を送るのに最低限必要なお金を国民全員に給付するような社会保障制度だ。例えば、毎月7万円といったお金が老若男女を問わず、すべての人々に配られる。

BI導入などの社会的な制度改革次第では、最終的にはAIによってユートピアがもたらされるかもしれず、今のところ私はそう信じている。ただし、科学技術が発達しさえすれば、それだけであらゆる人々が豊かになれるわけでもないし、あらゆる問題を解決できるわけではない。適切な制度設計なしには、便益よりも弊害の方が大きくなる可能性を否定できないのである。

人類絶滅の危機は二度あった

世界は今、戦争と飢餓、疫病を克服しつつある。17世紀に起きた科学革命以前は、ペストで死んだ人の亡骸が街中を埋め尽くしても、神に祈るより他なかった。今日ではペストや天然痘はほとんど根絶やしにされているし、マラリアやエイズで亡くなる人も著しく減っている。

かつてなく、平和で豊かで健康的な生活を謳歌できる時代が訪れている。それでも、科学技術が人間にこの上なく大きな惨事をもたらす可能性があったことを指摘しておきたい。というのも、科学技術の最大の成果である核兵器による人類絶滅の危機が少なくとも二回はあったからだ。

一つは、よく知られた１９６２年のキューバ危機で、もう一つは１９８３年にソ連のミサイル警報の誤動作によって引き起こされた全面核戦争の危機だ。誤動作だと主張して処罰されたソ連軍の当時の将校スタニスラフ・ペトロフは、「世界を救った男」と呼ばれている。

今や冷戦も終結し、全面核戦争の恐れはそれほど抱かれなくなった。ただし、北朝鮮の核ミサイルがソウルや東京を火の海にする可能性が少なからずあることは、付け加えておかなければならない。

結果として見れば、そして今のところ、総じて科学技術は人々をより幸福にしたということができる。にもかかわらず、科学技術があらゆる問題を解決するという科学技術万能主義は、宗教じみたただの信仰にすぎない。

核戦争で人類が滅んだ世界線（別の歴史をたどった世界）についても想像を巡らせるべきだろう。ジャワ原人もネアンデルタール人もみんな滅んだ。ホモ・サピエンスが、今なお生き残っているのは僥倖（思いがけない幸運）という他ない。

もちろん核を他国の攻撃に使うのではなく、平和的に利用することもできるが、それでも危険の一切が消え去るわけではない。福島第一原子力発電所事故から、私たちは科学技術の成果を常に安全にコントロールできるわけではないし、その負の側面を軽視してはいけないと教訓を得るべきだろう。

福島において実際に起きたのは、起き得た事態のうちの最悪なケースではない。福島第一原発の吉田昌郎所長は「死ぬだろうと思った」と当時を回顧して述べた。もし、多くの作業員の方々が被曝して亡くなっていたならば、原発維持の主張は今よりもはるかに弱まっていただろう。

吉田所長は、東京電力本社の指示に反して海水注入を続けたが、もし注入を取りやめていたらどうなっていたか。海水を注入し続けた結果、炉心が溶融し圧力容器に穴が空いた。逆に注入を取りやめていたら圧力容器が完全に破壊され、はるかに大きな惨事がもたらされた可能性が高い。

その場合、福島県全域が壊滅状態になったり、首都圏に住む何千万人もの住民が避難や屋内退避を強いられたりしただろう。吉田所長の的確な判断で綱渡りの状態を乗り切ったがために、この現実がある。綱渡りに失敗し、死者が例えば数百人、数千人発生した世界線についても、十分想像を巡らせておく必要があろう。

実際には起こらなかったが起こってもおかしくはなかった事態をも考慮に入れると、原発事故の死亡者数が自動車事故の死亡者数よりも少ないからといって、原発は自動車よりも安全であると断じることはできない。

私はここで原発廃絶論を唱えたいわけではなく、ただ原発のような危険性の予測し切れない、コントロール困難な技術があると訴えたいのである。

悪魔を使いこなせなくなった魔法使い

サイバネティクスという概念を提唱したアメリカの数学者ノーバート・ウィーナーは、こう警告している。

願いを叶えるために呼び出したランプの精は、大人しくランプに戻ってくれるわけではないし、私たちに快く接してくれるとも限らない
——ウィーナー「機械の時代」[19]

あるいは、ドイツの経済学者カール・マルクスとフリードリヒ・エンゲルスは、

巨大な生産手段や交通手段を魔法で呼び出した近代ブルジョア社会は、自分が呼び出した地下の悪魔をもう使いこなせなくなった魔法使いに似ている
——マルクス&エンゲルス『共産党宣言』[20]

と言っている。

人間が生み出したものを人間が操れないわけがないだろうと私たちは思いがちだが、近代には抑え込むことが困難な技術が数多く生み出されている。

マスタードガスとともにコカインの発見者でもあるドイツの化学者アルベルト・ニーマンは、自らマスタードガスの毒性によって死亡している。

マスタードガスは1925年にジュネーブ議定書によって禁止された後もなお、イ

ノーバート・ウィーナー
Norbert Wiener (1894-1964)
20世紀アメリカの数学者で「サイバネティクス」という概念の発案者（©Granger／PPS通信社）

ラン・イラク戦争時にイラクによって使用された。クルド人の虐殺にも使われ5000人の死者を出したと言われている。コカインの方は、2017年のアメリカだけでも1万4000人以上の中毒死を生み出している。

制御困難な技術の最も際立った例が原子力技術だ。それはしばしば想定を超える災難を生み出すからだ。ドイツの社会学者ウルリヒ・ベックは、ソ連でチェルノブイリ原発事故が起きた1986年に出版した『危険社会』（法政大学出版局）で、

経済的に見合うかどうかという可能性については、明確な予測を試みられ、よりよい案が追求され、試験が行われ、徹底的に各種の技術的検討が行われる。ところが危険については、いつも暗中模索の状態で「予期しない」危険や

「全く予期し得ない」危険が出現して初めて、心底怯え、仰天するのである
——ベック『危険社会』[21]

と述べた。

原発事故は自動車事故と異なって、毎日のように幾度も繰り返し起きるわけではないので、その確率分布は定かではない。どの程度の事故がどの程度の確率で起きるかが分からないのである。危険に関するそうした予測不能性は考慮の外に置かれて、経済性のみが厳密に計算されて原発は導入される。

ＡＩに関しても、その経済性とともに、その危険性について十分検討する必要があるが、危険に関する予測はあてにならないかもしれない。ただし、ＡＩは今のところ原発事故ほどの大きな災難をもたらすわけではない。

例えば、マイクロソフトのＴａｙ（テイ）というチャットボットが、差別発言や卑猥な発言を繰り返すようになって、数日でサービスを停止したということがあったが、チェルノブイリや福島の事故とは比べるまでもない。

ところが、ＡＩが街や工場、インフラなどをコントロールし、ビットがアトムを支配するようになると、その誤動作が予測もつかない大惨事をもたらす可能性が生じて

くる。

科学技術の成果を常にコントロールできる保証がないのならば、科学技術がいついかなる時でも人々を幸福にするといった科学技術万能主義には否定的にならざるを得ないだろう。

もちろん、科学技術が私たちの手に負えない恐ろしい力を持つからと言って、科学技術を全否定してアーミッシュのような生活をしようという呼びかけには当然応じることはできない。

アーミッシュは、アメリカの中西部などで、近代以降の技術をほとんど使わずに自給自足に近い暮らしを営んでいる集団で、主な交通手段は馬車だ。今からそんな暮らしに戻ることは現実的ではないだろう。

科学技術を全面肯定することも全面否定することも、望ましい社会をもたらさない。私たちに必要なのは、一方の手で科学技術を促進させつつ、他方の手で科学技術の引き起こす問題について議論してそれに対処することだ。

ガンディーと情報社会

現代の情報社会は、本章の冒頭に掲げた「ボタンを押せば、服が手元に運ばれて来て、別のボタンを押せば新聞が届けられ、三番目のボタンで自動車が玄関に待機する[22]」というガンディーの言葉のように、ボタンを押せば欲しいものが即座に届けられる社会だ。

ECサイトをクリックすれば服が配送されてくるし、ニュースアプリをクリックすれば新聞の記事が映し出されて、タクシー配車アプリをクリックすることでタクシーが迎えに来てくれる。

アマゾンが目指しているのは、欲望を抱いてから購入に至るまでのプロセスをぺしゃんこに潰してしまうことだ。私たちはスーパーマーケットやコンビニに出掛ける面倒から解放されつつある。

アマゾンはまるで幼児にとっての母親みたいな存在だ。幼児は泣きわめくだけで母親に乳を飲ませてもらえる。私たちはクリックするかボタンを押すだけで、偉大なるマザーのアマゾンがあらゆる商品を届けてくれる。お金さえあれば、欲望は欠如するそばから充足させられるのだ。

AIスピーカーのアマゾンエコーを使えば、指を動かす必要すらない。「アレクサ、真空断熱ステンレスタンブラーが欲しいよ」とお願いするだけですべての手続きは完了する。

2018年にアマゾンエコーのCMがネット上で炎上した。「何でもアレクサに頼ってんじゃねーよ」「アレクサを奴隷のように酷使するな」というのが、批判者たちの言い分だ。機械文明による堕落を危惧したガンディーよろしく、AIに依存して怠惰になっているかのようなCMの登場人物を批判したのである。

しかし、未来のことに想いを馳せれば、この程度の怠惰は序の口と言える。まだあまり普及していないが、アマゾンのダッシュ補充サービス(Dash Replenishment Service、DRS)は、プリンターのインクカートリッジや洗剤のようなたびたび補充が必要な消耗品を自動で勝手に届けてくれるサービスだ。

ボタンを押すこともなければ、アレクサにお願いすることもない。プリンターがネットに接続されていて、インクが切れそうだと判断したら勝手に新しいインクカートリッジを注文してくれる。私たちは、購入の際の意思決定にすらもはや心を働かす必要がない。

あるいはまた、例によってブレイン・マシン・インターフェース(BMI)の技術を応用すれば、「真空断熱ステンレスタンブラーが欲しい」と願っただけで機械によって脳波が読み取られ、真空断熱ステンレスタンブラーが自動で配送されてくるような仕組みも実現可能だ。

インド独立の父ガンディーは、科学技術否定論者であるとともに、日本の西郷隆盛や頭山満などと同様にアジア主義者でもある。アジア主義というのは、欧米諸国の植民地主義に対してアジアを復興させて対抗すべきだという思想だ。ただし、同じアジア主義であっても、日本とインドではかなりおもむきが異なっている。

日本のアジア主義者は、日本古来の文化を重視しつつも、欧米の科学技術を取り入れて、軍事力によって欧米諸国に対抗しようとした。そうした思想が太平洋戦争の際に掲げられた大東亜共栄圏といったヴィジョンに結実していったので、戦後の日本ではアジア主義は右翼思想と同一視されており評判がかんばしくない。

それに対し、ガンディーは近代文明のほとんど一切を否定して、軍事力の代わりに非暴力によってイギリス軍をインドから駆逐した。「インドが育んできた文明はこの世で最高のもの[23]」と絶賛する一方で、「近代文明は名ばかりの文明です。この文明の下、ヨーロッパの国々は日々堕落し、破滅の淵にさしかかっています[24]」と散々にののしっている。

ガンディーが立ち向かったのは、暴力的だったイギリスによる植民地支配だけでなく、その背景にある暴力的な近代文明だ。

以前、人間は戦いたいときは、たがいに腕力を使っていました。いまでは、大砲の一発で何千何万の人命を奪うことができます。これが文明のしるしです

——ガンディー『真の独立への道』[25]

ガンディーによれば、近代文明というのは要するに機械文明であり、その機械が人々を怠けさせて不健康にするとともに、ワンタッチでの大量虐殺を可能にしている。ガンディーが特に敵視するのは、力織機のような産業革命以降に現れた動力機械だ。それは人間をエンパワーするとともに、その巨大な力でもって他の人間を踏みにじる。

対して、インドで伝統的に用いられてきたチャルカ（糸車）のような人の労力を必要とする機械については、ガンディーはむしろ肯定的だった。チャルカで糸をつむぐのを日課にしていたくらいだ。「働かない日に食べるパンは、盗んだパンである」と言って、怠惰を自らに戒めていたのである。

工場で使用される力織機のような動力機械による大量生産は、人々の労力を節約する。それによって、労働時間が減って怠け者が増えるか、さもなければ失業に追い込

マハトマ・ガンディー
Mohandas Karamchand Gandhi (1869-1948)
20世紀インドの弁護士で政治指導者。「非暴力・不服従」を提唱し、イギリスの植民地だったインドを独立に導いた(©akg-images／アフロ)

まれ路頭に迷う人が増えることになる。

このようなガンディーの見通しは、現実からは半ば乖離していた。多くの国々で近代化の過程で労働時間が減少することがなく、失業者が長期的に増大することもなかったからだ。農業や工業が機械の導入により効率化する一方、その効率化を埋め合わせるのにちょうどいいあんばいにサービス業の仕事が増えていった。

ところが、工業社会から情報社会に転換した今、ガンディーの懸念はむしろ現実のものとなっている。サービス業すらもITによって効率化されることで、今世紀に入ってからアメリカの労働参加率は低下し続けているからだ。つまり、働いている人（と職探しをしている人）の割合は年々減少しているのである。

未来の社会は退廃するか？

人間はいずれ、ＡＩやロボットに多くの仕事を任せて、ぞっとするほど長く果てしなく続く人生という巨大な暇を、どうやって潰せばいいのかに頭を悩ますようになるのだろうか。

今のところ、私はＡＩの発達によって、労力が劇的に節約されたとしても、人間が日がな一日よだれを垂らしながら惰眠をむさぼるということにはならないと考えている。

汎用ＡＩのような人間にかなり近いＡＩが開発されて、ＡＩが人間の代わりに多くの労働を担ってくれるようになっても、人々は退廃的な生活を送るようにはならないだろう。

現実と見分けのつかないくらい高度に発達したヴァーチャル・リアリティ（ＶＲ）が普及すれば、話はまた変わってくるかもしれない。

ＶＲの第一人者であるスタンフォード大学のジェレミー・ベイレンソン教授は、『ＶＲは脳をどう変えるか？』（文藝春秋）で、テレビやテレビゲームなどの既存のメディアは、それほど大きな害悪を持たないが、VRにはその懸念があると言っている。それだけVRの没入感はけた違いなのである。

とはいうものの、ベイレンソンが懸念しているのは、VRを使った拷問やマインドコントロールだ。VR機器を外した時に私たちの感覚器官を怒涛のように刺激してくる現実世界の微細な質感は格別素晴らしい。それだけ、VRに対する現実世界の優位性は揺らぐことがないから、今のところ人々がVR中毒になる心配はないという。

未来にVRが高度に発達したらどうなるかは分からないが、そのようなVR以外に私たちを退廃した生活へと強力にいざなう機械は今のところ想像できない。

したがって、高度なVRを抜きに考えれば、AIとBIの普及した未来社会は意外と活力に満ちたものになると予測できる（例によってこうした予測はあてにはならないので、繰り返し検討し直す必要があるけれど）。

労働が必要なくなった未来で人々が何をして時を過ごすのかを想像するにあたっては、古代ギリシャの社会は参考になる。アテネのようなポリス（都市国家）の市民は労働を忌み嫌い、奴隷に任せて、自分たちは政治や芸術、学術（哲学や数学）、スポーツにいそしんでいた。

未来においても価値判断を必要とする政治や芸術は、AIの支援を受けつつも最終的には人間自身によってなされるだろう。汎用AIは、およそ人間と同じ働きをするものの、少なくとも今世紀中には、人間の持つあらゆる感性や感覚、欲望を備えることはできないと予想されるからだ。

科学的な研究の多くの部分はAIが人間の代わりに行うようになるが、知的好奇心を満たすための学術的な探求は、人間の娯楽的な営みとして残される。勤労道徳が滅んでも「所属欲求」まではなくならないので、未来の人々は死ぬまで大学に所属し続けるかもしれない。

他人から認められたいという「承認欲求」もまた消えることはなく、人々は労働によってではなく、スポーツなどのゲームに勝つことで承認欲求を満たすようになるだろう。

ロボットの野球大会が催されるようになり、ロボットが人間をはるかに超える剛速球を投げるようになったとしても、それは人間の野球大会を代替したりしない。今日カーレースと陸上競技が全く別種の競技であるのと同様だ。

AIが普及し労働が必要なくなった社会は、古代ギリシャのような活力に満ちたものとなる可能性がある。だが、そもそも人間の仕事の多くを代替できるような水準にまでAIは進歩するのだろうか。実現可能だとするならば、それは遠い未来なのか近い未来なのか。次章で詳しく議論したい。

本章のまとめ

Summary 1

- ＡＩの要素技術のうち、画像認識が普及するだけでも経済・社会は大きく変わる
- ＡＩに加えてビッグデータとＩｏＴが第四次産業革命を引き起こす
- 第四次産業革命後、労働者の頭数ではなく
頭脳のレベルがＧＤＰや企業の収益を決定づける頭脳資本主義が深化する
- 日本は、ＡＩをはじめとする科学技術力が衰退しており、
頭脳資本主義についていけず没落していくだろう
- 中国は、ＡＩをはじめとする科学技術力の躍進が著しく
次世代の覇権国家となるだろう

●科学技術万能主義は危険だが、科学技術の進歩を止めるわけにはいかない

第2章

人工知能はどこまで人間に近づけるか

The Pure Mechanized Economy_Chapter 2

秦での計算陣形は陛下の不老不死への執着を利用して国を滅ぼす謀（はかりごと）でした。しかし大発明だったのも事実です。あの演算能力をもってすれば、数学の言葉を理解し、宇宙の謎を解き明かすことが可能でした

——劉慈欣（りゅうじきん）「円」[26]

サイバネティクス的に表象された世界においては、オートマティックな機械と生物とのあいだの区別はなくなる。それは情報という無差別な事象へと中性化される

——ハイデッガー『技術への問い』[27]

1 ニューラルネットワークの隆盛を予見した哲学者たち

セルフドライビングカー・セックス

私は大学の研究室にこもっていると、ついついネットサーフィンをしたり、ＳＮＳでのやり取りを始めてしまったりするので、なるべくカフェやファミレスなどで仕事をするようにしている。

そのようにあちらこちらの場所を渡り歩きながら仕事をする人はノマドワーカーと呼ばれ、2010年頃から注目されるようになった。ノマドは、遊牧民や放浪者を意味する英語だ。

元ライブドア社長の堀江貴文氏のように、働くところだけでなく、ホテル暮らしをして住むところまで移り続ける人もいる。今の時代、仕事だけでなく読書や音楽鑑賞、映画鑑賞のような趣味でさえもスマホ一つで完結させることができるので、物的な財をそれほど所有しなくても豊かな暮らしが営める。

フランスの経済学者で思想家のジャック・アタリは、『21世紀の歴史』(作品社)でノマド生活をより容易にする財をオブジェ・ノマドと呼んだ。フランス語なので英語と違って後置修飾がなされており、これは「オブジェのノマド」ではなく「ノマドのオブジェ」を意味する。

スマホ以前にも、腕時計、パソコン、ウォークマン、携帯電話、インタ

ジャック・アタリ
Jacques Attali (1943-)
現代フランスの経済学者で思想家。ミッテラン大統領の補佐官を務めていた(©Abaca／アフロ)

ーネットなどのオブジェ・ノマドがあった。インターネット自体は持ち運べないが、ノマドが定住民とコミュニケーションをとるための手段になり得る。メールアドレスは、土地に縛られない住所であり、ノマド的な住所だとアタリは指摘している。今では、パソコン、スマホと並んで、Wi-Fiがノマドワーカーにとって不可欠なオブジェと言えるだろう。

自動運転車も強力なノマド・オブジェになり得る。自動運転車が普及すれば、自分で運転しなくていいわけだから、その中で仕事をしようが寝ようが遊ぼうが恋をしようが自由となる。

ドイツの自動車メーカーのダイムラーはそうした未来を見越しており、「動く居住空間」をテーマにした自動運転のコンセプトカー、メルセデス・ベンツF015を2015年に発表した。その内装は未来的であるとともに床に木材を使うなどしてクラシカルな高級感も醸し出している。

イギリスのサリー大学のスコット・コーエンとオックスフォード大学のデビー・ホプキンスは、「自動運転車と都市観光の未来」[28]という論文で、自動運転車の普及によってカーセックスが増加するだろうと大真面目に警鐘を鳴らしている。

セックスに励むカップルを乗せて夜の街（あるいは昼の街）をひた走る自動運転車

が事故を起こしたら、卑猥で悲惨で二重の意味で目も当てられない。

いずれにせよ、2020年前半から徐々に自動運転車が普及していくはずであり、そうすると自動車の中で昼夜を問わず様々な営みをする人々が増大し、人類のノマド化がさらに加速するだろう。それは農耕を始める前の狩猟・採集社会への部分的な回帰を意味する。

現生人類ホモ・サピエンスの遠い祖先であるサヘラントロプスのような猿人が誕生してから700万年が経つが、人類はその長い期間のほとんどを、マンモスやイノシシなどの動物を狩ったり、アーモンドやドングリなどの木の実を採集したりしながら、大地をさすらうノマドとして暮らしていた。

定住民である私たちが、ノマドワーカーになりたがったり、旅行をしたがったり、マラソンなどという苦行に精を出したりするのは、狩猟採集社会へのノスタルジーであるのかもしれない（あるいはそうではないかもしれない）。

ノマドの哲学

フランスの哲学者ジル・ドゥルーズとフェリックス・ガタリ（D&G）は、1980年に『千のプラトー』（河出書房新社）でノマドロジー（遊牧論）という概念を提唱し、ノマドを定住民に対置させた。

私たちは定住民であり、定住的な思考にとらわれがちだ。例えば、歴史というのは、常に定住民の側から語られる。

> **人々は歴史を書く。だがつねにそれを定住民族の視点から、そして国家という統一的装置の名において書いてきた。たとえ遊牧民（ノマド）を語るときでもやはりこの装置が働くのだ。欠けているのは遊牧論（ノマドロジー）であって、それは歴史に対立する**
>
> **――ドゥルーズ&ガタリ『千のプラトー』**[29]

中国の歴史が典型的だが、それは中原（黄河流域の平原）を支配した漢、宋、明といった定住民の王朝を中心とした歴史であり、華夷思想の産物だ。中華とか華夏と呼ばれる中原の辺りにだけ洗練された文明が存在し、その北側に住む遊牧民は化外の民、夷狄であり、けだものと同様の扱いだ。

匈奴や鮮卑、ウイグルなどの遊牧民は基本的には中華を脅かす外部勢力であり、中国の歴史においては脇役にすぎない。ただし、五胡十六国時代に匈奴によって中原に打ち立てられた前趙や鮮卑による北魏、その後継国家である北周、隋、唐は定住化お

ジル・ドゥルーズ（右）とフェリックス・ガタリ（左）
Gilles Deleuze (1925-1995), Pierre-Félix Guattari (1930-1992)
20世紀フランスの哲学者で『アンチ・オイディプス』と『千のプラトー』などの共著書がある（©GAINTER MARC／GAMMA／アフロ）

よび漢化がなされており、中国の正統な王朝と見なされる。

実際には、遊牧民の歴史的役割は大きく、古代から近世まで、柔然（じゅうぜん）、突厥（とっけつ）、モンゴル、ジュンガルなどの巨大な遊牧国家が築かれており、定住国家とたびたび戦争を行うとともに、ユーラシア大陸における東西の交易を担っていた。にもかかわらず、歴史的に書物を書き残してきたのが定住民たる中国人（漢民族あるいは中華思想を血肉化した他民族）だったので、私たちは華夷思想のパースペクティブ（ものの見方）で歴史を論じがちだ。

D&Gは、支配的なパースペクティブに揺さぶりをかけるために、ノマドロジーや後で見るリゾームといった諸々の概念を作って思想を展開した。それゆえ、実際に放浪生活を送っているかどうかとノマドロジーは関係ない、と「D&G主義者」たちは言うかもしれない。ドゥルーズは自分で「私は旅行なんて気が向かないし、生成変化を乱したくなければ、動きすぎてはいけない」[30]とすら言っている（生成変化については後述する）。実際の移動や旅行がノマドロジーと関係ないのであれば、ノマドワーカーもまた論じるに値しないと言えるかもしれない。

だが、D&Gの概念を高踏な哲学的議論に留めずに、時にあえて形而下（世俗的な世界）に引きずり降ろして、ビジネスパーソンの働き方や人々の生活様式に接続して論じることもまた、D&G的試みと言えるだろう。彼らは、そういう横断的思考を重視したからだ。

なお、D&G主義者というのは私が作った用語で、D&Gの支持者は一般には「ドゥルージアン」と呼ばれるが、それはあまりにもガタリに失礼だろう。ガタリはドゥルーズの添え物でもおまけでもない。多くの概念を最初に創案したのは、むしろガタリの方だ。

人は狼になれる

優れた思想家の生み出した優れた概念は、それに当てはまる具体物が後から見出されるものである。ガンディーの当てずっぽうの予見に相応する具体物が、今日そこかしこにあるのと同様だ。

ドゥルーズが単独で創案した生成変化という概念は、人間が花を見て花になった気になったり、狼を見て狼になった気になったりすることを意味する。そんなわけの分からない能力は自分には備わっていないと思う人が大半だろう。

ところが、ヴァーチャルリアリティ（VR）を使えば人間は誰しも様々なものになることができる。例えば、サメと一緒に泳ぐVRを体験した少年は、自らサメになって海中を泳ぐことができたという。[31] もちろん、実際サメになったのではなく、正確にはなった気になったのであるが。

VRは、エンターテインメントとして役立てられるだけでなく、共感能力を高めるのにも使うことができる。VR体験によって、私たちは難民や老人になり切れる。[32]

難民の身になってごらんと言われて、いくら想像をたくましくしても、結局のところ私たちは難民の暮らしぶりの過酷さをリアルに感じ取ることはできない。老人に対するステレオタイプ（固定的）なものの見方から脱却するのも難しい。だがVR体験を通じて、難民の置かれた環境を肌感覚で知ったり、老人に対する偏見を減らしたりできる。

リゾーム

ノマドロジーや生成変化以上に先見性を感じさせるのは、『千のプラトー』で示されたリゾームという概念だ。リゾームは、図2・1のように中枢(コア)や階層なしに複数のユニットが相互に連結した構造を表している。

もともと、リゾームとは地下茎(ちかけい)、つまりシダ植物やジャガイモに見られるような複雑に絡み合った地中の茎(くき)のことだ。実際の地下茎には幹=中枢があるが、D&Gのいうリゾームには中枢がない。

東京の地下はリゾーム状の発達を遂げている。D&Gは、モグラやホリネズミのような動物が地中に作る巣穴をリゾームの例として挙げているが、東京メトロも地中に巣穴のような地下鉄のトンネル網を張り巡らせている。

リゾームは、図2・2のような階層的な組織構造を表すツリーの対概念となっている。人間、とりわけ近代人の意識的な思考は、リゾーム状ではなくツリー状だ。

分類がその典型で、例えば生物はまず古細菌、細菌、真核生物といったドメインに

図2・1　リゾーム

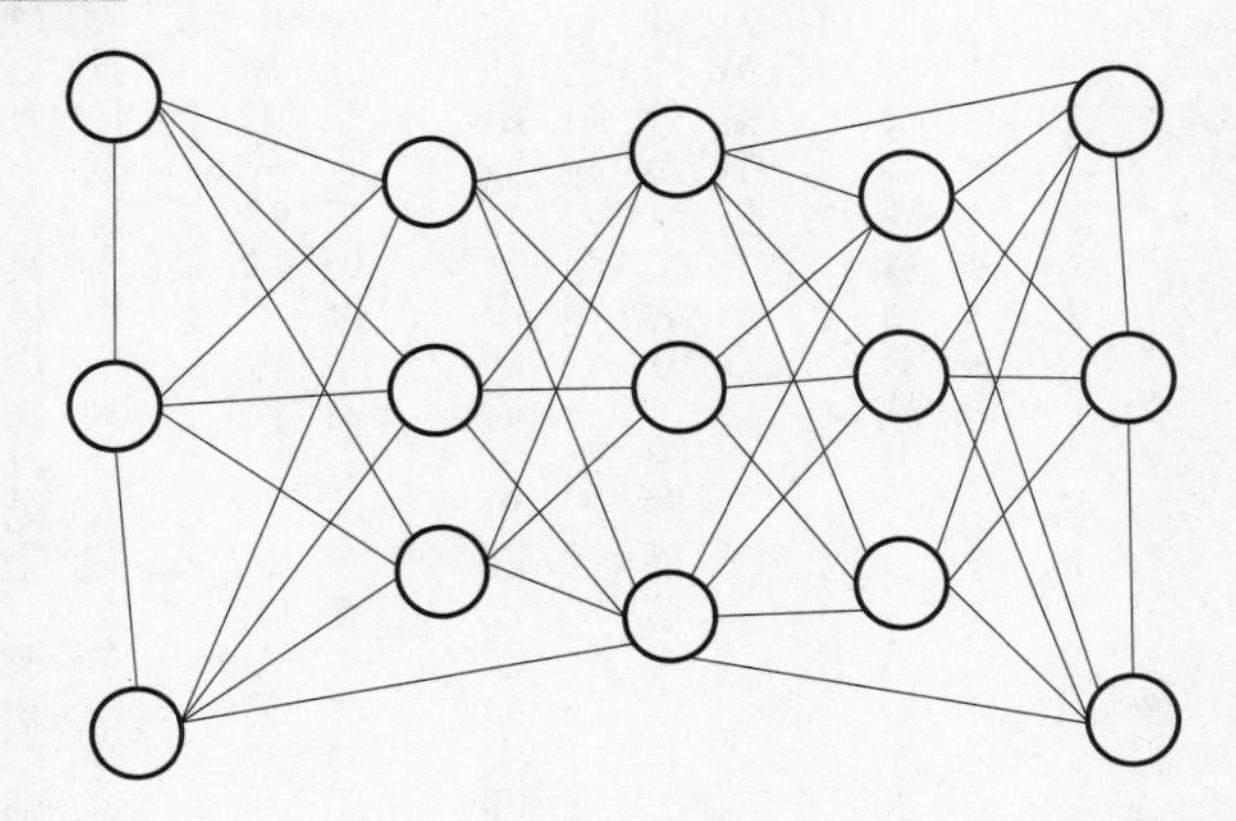

出所：筆者作成

図2・2　ツリー

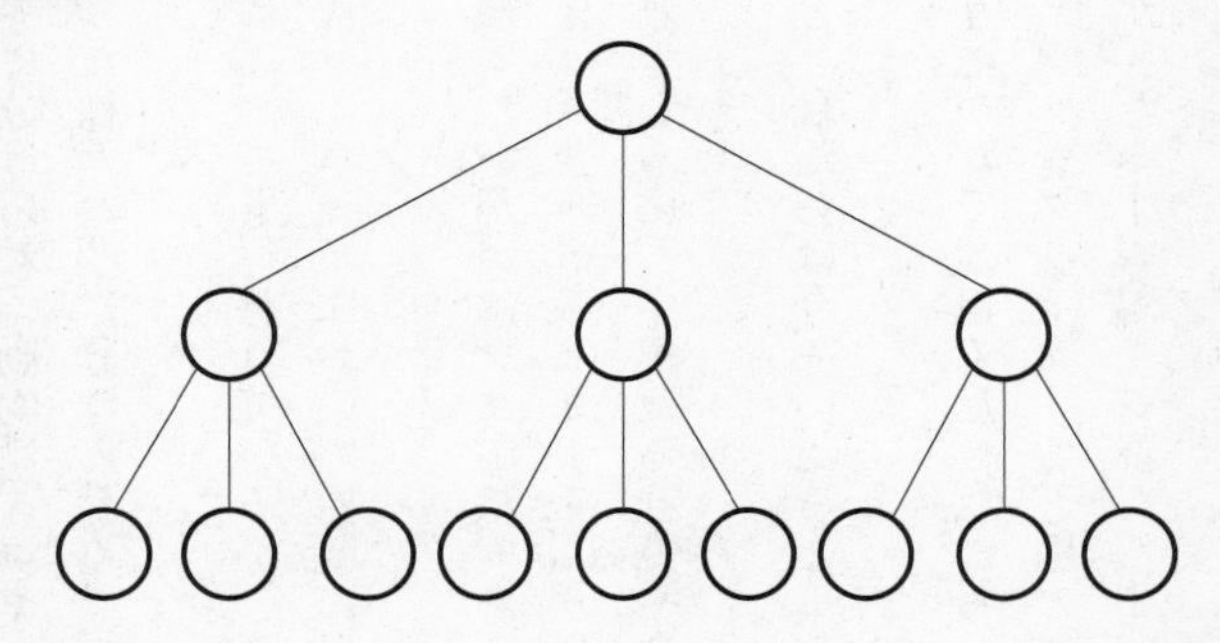

出所：筆者作成

分けられる。真核生物は動物、植物、菌類などの界に分けられ、動物はタコやイカなどの軟体動物や魚や犬、人間を含む脊索動物といった様々な門に分けられる。見事にツリー状の構造を成している。

生物の分類は、古代ギリシャのアリストテレスによっても行われているが、森羅万象を分類して把握するというタイプの思考は、近代ヨーロッパにおいて極度に発達した。

会社組織、官僚機構、軍隊などの人間が作る組織もたいがいはツリー状であり、そうした組織の発達もまた近代において著しい。例えば、会社組織はまず部に分かれ次に課に分かれており、階層構造を成している。それとともに、中枢たる社長や会長に権力が集中している。

インターネット、ハイパーテキスト、SNSなど、私たちは今やいたるところでリゾーム状の構造物を見出すことができる。

ハイパーテキストというのは、コンテンツを相互につなぐ仕組みだ。私たちがネットサーフィンをしている際に、ホームページ上のリンクをクリックすると別のページにジャンプする。このようなリンクによってつながったホームページ群がハイパーテキストの具体例だ。

インターネットは、中枢を持たずノードどうしが相互につながれたネットワーク構造を成している。その前身である軍事技術アーパネットが、敵の攻撃を受けても通信が断たれないことを意図して作られたからだ。この軍事上の利点は、『千のプラトー』で述べられている蟻の群体の性質に類似している。

> **蟻を相手にしていると際限がないのは、それが動物的リゾームを形作っていて、その大部分が破壊されてもたえず再形成されるからである**
>
> **――ドゥルーズ&ガタリ『千のプラトー』**[33]

例えば、餌を巣に運ぶ蟻の群れを何者かが踏み潰して多くの個体を死に追いやったとしても、群体は一時的な混乱を経て以前の秩序を取り戻す。

肺病を患い人工肺で呼吸していたドゥルーズが、その苦しみから逃れるように自宅のアパートから飛び降り自殺を図った1995年は、奇しくもインターネット元年と呼ばれている。

現代思想に通じる者は誰もが、1995年以降のインターネットの普及を鑑みて、フランスの哲学者ミシェル・フーコーの1970年代の予言を想い起こしただろう。

それは、「おそらくはいつの日か、時代はドゥルーズ的なものとなっていよう」というものだ。フーコーのその予言もまた的中したわけだが、正確には時代はD&G的なものになったと言うべきだろう。

D&G主義者の多くはいわゆる左翼なので、その中には発祥が軍事的で今や資本主義的な技術となったインターネットとして具現化されたリゾームという概念に否定的な者もいる。リゾームがあまりにも時代の支配的な概念になり過ぎたので、その時代性にむしろ抵抗すべきだという考えも生まれてくる。

アメリカのD&G主義者でテキサス大学のアンドリュー・カルプ助教授は、

リゾームはもうたくさんだ。確かにリゾームは35年前は思考を示唆するイメージであったが、私たちの現在を支配しているのはインターネットという冷戦のテクノロジーであり、これ自体がすでに核戦争を生き残るためのリゾーム的ネットワークとして作られたものである

——カルプ『ダーク・ドゥルーズ』[34]

と憤っている。

だが、インターネットの隆盛を見てリゾームにうんざりするのは早過ぎるだろう。

インターネット以上に文明を根底から覆すであろうAIというコンピュータサイエンスの分野において、今まさにリゾーム状の構造を持つニューラルネットワークが主流だからだ。

ニューラルネットワークの仕組み

ニューラルネットワークは、脳の神経系を模した数学モデルないしプログラムで、例えば図2・3のような構造を持っている。○の部分はユニットと呼ばれ、○と○をつなぐ線はリンクと呼ばれる。ユニットが現実の脳のニューロン(神経細胞)に相当し、リンクがシナプスに相当する。

図2・3は、入力層、隠れ層、出力層の三層から成る単純なニューラルネットワークだ。入力層から例えば、猫や犬、馬が写った画像をインプットする。出力層では、それが猫なのか犬なのか馬なのか答えを返す。

ニューラルネットワークは初期状態では、画像に描かれた図形をうまく言い当てることができない。しかし、「この画像は猫でした」というように正解を与えられ、その正解に近づけられるように、ユニットとユニットをつなぐリンクの強さ(ウェイト)を変えることで学習がなされる。[35] このウェイトは脳の神経でいうと、ニューロン

図2・3　ニューラルネットワーク

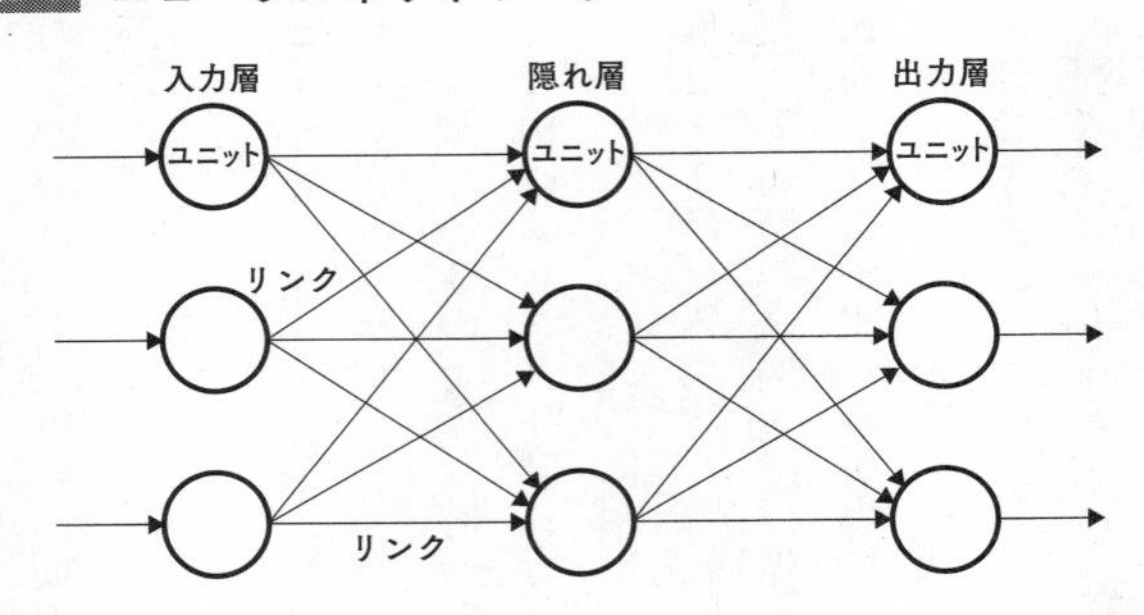

出所：筆者作成

どうしのつながりの強さに相当している。

いろいろな猫や犬の画像を見せて、ウェイトを調整すると、何が猫で何が犬かを判断できるようになる。こうした学習過程を経て十分な精度を持つようになったら、後は実際に利用されることになる。

ディープラーニングは、ニューラルネットワークの一種であり、図2・4のように比較的複雑なものである。専門的には「層を深くする」という言い方があり、ディープラーニングは深層学習と訳されている。

ニューラルネットワークは、ある意味ではインターネットよりも蟻の群れに近い。中枢がないにもかかわらず全体として何らかの目的を遂げるシステムを、リゾーム システムと呼ぶことにしよう。

図2・4　ディープラーニング

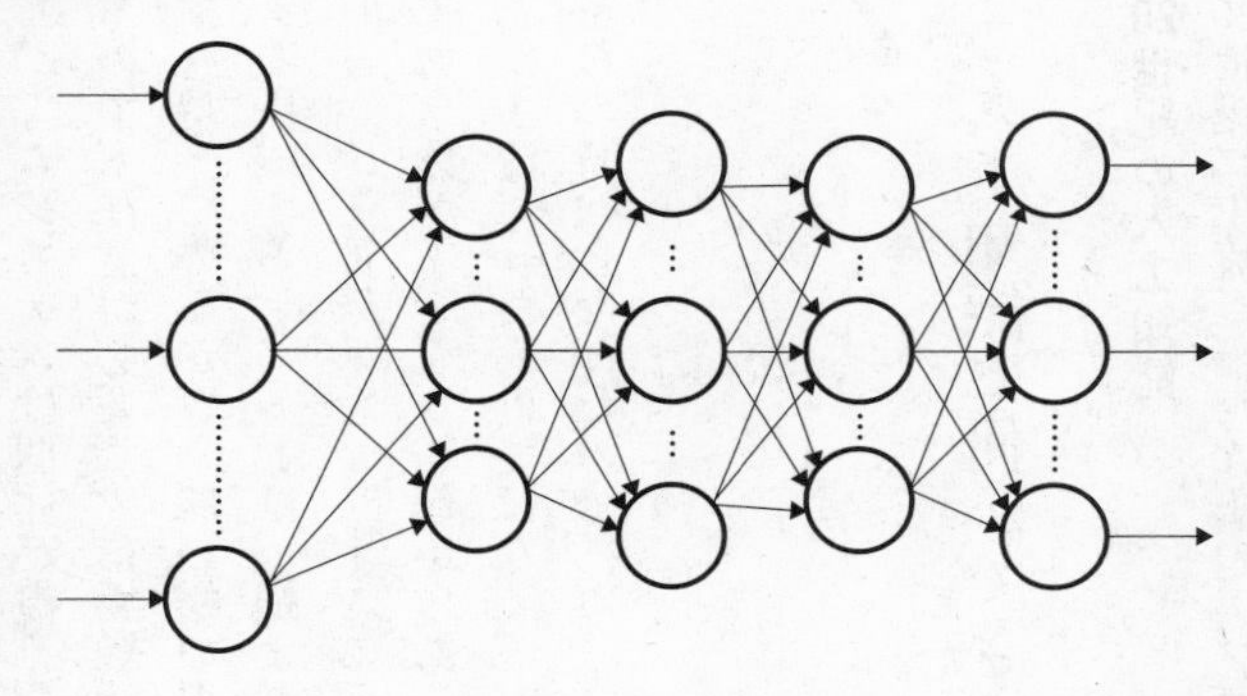

出所：筆者作成

すなわち、これはツリーシステムに見られるような超越的な命令主体が欠如しているにもかかわらず、分権的な個体の集まりが全体として創発的に一つの目的を果たすようなシステムだ。

リゾームシステムを群知能と言い換えることもできる。脳の神経系やそれを模したニューラルネットワーク、蟻の群れ、市場経済などは、リゾームシステム（群知能）だ。だが、インターネットや都市部の地下鉄網はリゾーム状の構造を成しているものの、リゾームシステムとは言えない。

インターネットは分権的だが、全体として一つの目的を遂げるわけではないので、リゾームシステムでもなく群知能でもないのである。

リゾームシステムは個体が複雑な意思決定機構を持っているか否かで程度の違いがあるので、注意が必要だ。市場経済を構成する個々の企業や消費者は複雑な意思決定機構を持っているが、一匹の蟻の機構はそこまで複雑ではない。ニューラルネットワークを構成するユニットは、蟻よりもさらに単純だ。

D&Gは、神経系をリゾームの例として挙げているし、そもそもニューラルネットワーク自体が1950年代からある技術だ。それでも、20世紀にニューラルネットワークが主流だったわけではなく、21世紀になってからようやくのことAIの分野でもD&Gの時代となったのである。

2

今の人工知能に何ができて何ができないか

20世紀の人工知能

20世紀に主流だったAIのアプローチは、今注目されているものとは大きく異なっている。21世紀のＡＩが主に扱っているのが「知覚と直感」であるのに対し、20世紀のＡＩが扱っていたのは「記号と論理」である。

この場合の論理というのは、演繹推論のことだ。例えば、

(1) タマは猫である
(2) 猫ならば鳴く
(3) タマは鳴く

という三つの文（命題）があったとする。

私たちは論理的な思考力によって、(1)「タマは猫である」と(2)「猫ならば鳴く」という二つの文から、(3)「タマは鳴く」を導くことができる。このような推論を演繹推論という。

それぞれの文を記号で表現すると、例えば、

(1) Cat (Tama)
(2) Cat (x) → Cry (x)

(3) Cry (Tama)

のようになる。[36]

Cat (Tama) は「タマは猫である」を、Cat (x) → Cry (x) は「xが猫ならば、xは鳴く」を、Cry (Tama) は「タマは鳴く」をそれぞれ表している。

このように各文を記号で表現すれば、機械によって扱うことは容易となる。実際、コンピュータは、(1) Cat (Tama) と(2) Cat (x) → Cry (x) を与えられると、(3) Cry (Tama) を導くことができる。

人間の思考の本質をこのような記号を使った論理的思考であると見なす考えは、少なくとも17世紀の哲学者ゴットフリート・ライプニッツにまでさかのぼれる。ライプニッツは、概念に記号（アルファベット）をあてがって、その記号を操作することによって、人間の思考を再現できないかと考えた。

先の例でいうと、猫の概念に Cat、鳴くという概念に Cry などの記号をあてがう。機械がそれらの記号を操作して、Cry (Tama) のような様々な真なる文を自動的に生成するのである。

思考する機械を作ることはライプニッツの夢であり、彼は実際四則演算のできる計算機を発明し、2進法を考案している。ただし、本格的な思考する機械であるコンピュータが発明されたのは、それから200年以上も経た1940年代だ。先の演繹推論を今のコンピュータに実行させるのは容易であり、特に「Prolog」という論理型プログラミング言語を使えば、簡単に実装することができる。演繹推論を行うAIを、ルールベースのAIという。あらかじめ人間が推論のルールを与えているからだ。ルールベースのAIは、人間の与えた規則通りにしか動かない杓子定規なAIであり、それがために20世紀にはそれほど実用的なAI技術は生み出されなかった。

同時にそれは、AI研究者が人間の思考の本質を見誤っていたことをも意味する。それゆえに、人間のごとく思考するAIを作りたいという壮大なもくろみは、20世紀には実現に至らなかった。

21世紀の人工知能

人間は子供でも、視覚や聴覚などの五感によって外界の様々な情報を取り入れて、そこからパターンを抽出し、このパターンに基づいて直感的に判断する。

そうした「知覚と直感」という子供の知性がベースにあって、その上に「記号と論理」といった大人の知性が載っかっているのが人間の思考だ。

もともとコンピュータは、人間が大人になってようやくできるようになる記号を用いた論理的思考が得意だった。逆に、人間の子供でもできる知覚に基づいた直感的な思考が苦手だった。

このようなねじれ現象を、モラヴェックのパラドックスという。モラヴェックは、アメリカのAI・ロボット研究者の名前だ。

ところが、今のAIは、まさに人間の「知覚と直感」を再現しようとしており、これらを得意にしている。モラヴェックのパラドックスは解消されつつある。人間の知覚や直感と似たような役割を果たすAI技術が機械学習だ。機械学習を用いたソフトウェアは、多数のデータから規則性やパターンを抽出し、的確な知的振る舞いをとることができる。

この場合の知的振る舞いというのは認識や意思決定を含んでおり、画像認識や音声認識も機械学習によって実現している。機械学習ベースのAIに猫を識別させるには、猫の画像を大量に読み込ませて学習させる必要がある。AIはそこから猫のパターンを抽出して、「この画像は猫である」という的確な判断を下せるようになる。

機械学習を実現する技術として、様々な確率統計的な手法とニューラルネットワークがある。現在の主流はニューラルネットワークであり、その一種であるディープラーニングだ。

ライプニッツの夢は打ち砕かれたか？

20世紀のＡＩ研究者は、ルールベースのＡＩによって人間の「記号と論理」に根差した思考を再現しようとした。対する21世紀のＡＩ研究者は、機械学習ベースのＡＩによって人間の「知覚と直感」に根差した思考を再現しようとした。

この違いは重要だ。というのも、「コンピュータは0と1から成るビットを操作する論理的な機械なので、言語的な記号と論理しか扱えない」といった誤解がいまだに蔓延しているからだ。

音声や画像のような知覚データも0と1で表現することができるし、画像を見て猫か否かを判断するといった直感的な判断も、今やＡＩに担わせることができる。

20世紀のＡＩ研究の失敗は同時に、ライプニッツがある種の思い違いをしていたことを意味している。一つの概念に一つの記号をあてがい、その記号を論理的に処理することで、人間の思考を再現するとともに、あらゆる真理を機械によって自動的に生み出す。それがライプニッツの夢であるとともに、20世紀のＡＩ研究者の夢であった。

ところが、猫の概念に相当した(Cat のような記号を論理的に処理するような思考は、人間の思考の一部にすぎなかったのである。それに、演繹推論を行うには仮定をおかなければならないが、仮定が十分でなければそこから導かれる命題によって世界の真理を覆い尽くすことはできない。

だからといって、人間の思考が記号操作にすぎないということが否定されたわけではない。猫に関する知覚データをデジタル化(記号化・符号化)し、コンピュータの中で猫という言語的記号と結びつけることができる。

あるいはまた、人間の思考が演繹推論に還元できないということは、数理論理的な機械であるコンピュータによって人間の知性が再現できないことを意味しない。

世界の法則を発見するのに必要なのは、演繹推論というよりもむしろ帰納推論である。帰納推論は、個別事例から一般的な規則を見出すことを意味する。それを行い得るAI技術として機械学習があり、今のAIブームの火付け役となっているディープラーニングは機械学習を行う技術である。ライプニッツの夢は、形を変えて21世紀に実現するかもしれない。

感性と悟性の再現が難しい

人間は図2・5のように、環境から眼や耳のようなセンサーを通じて知覚した情報に基づいて認識し、認識に基づいて意思決定を行う。そして、決定通りに自分の腕や足、口といったアクチュエータを制御し、環境に働きかける。図2・5は、「認知モデル」つまり人間の認知過程を表現したモデルの一種だ。

その大筋の流れだけとってみれば、他の動物（特に哺乳類）と本質的な違いはない。知覚が様々な感覚や感情を生み出し、そうした感覚や感情が意思決定に影響を及ぼす（理性的な意思決定の邪魔をする）点でも同じだ。感覚と感情を本書ではまとめて感性ということにする。

他の動物と異なるのは、認識する際に論理的思考や言語的思考を行うとともに、世界をモデル化しそのモデルに基づいて未来を予測（シミュレーション）し、そのうえで意思決定を行う点だ。これらをまとめて悟性ということにする。悟性は、一般には思考力や理解力を意味する。

今のAIに可能なのは、画像認識や音声認識などの認識であり、将棋や囲碁のようなゲームにおける意思決定であり、工場のロボットが部品をつかむような制御である。

図2・5 認知モデル

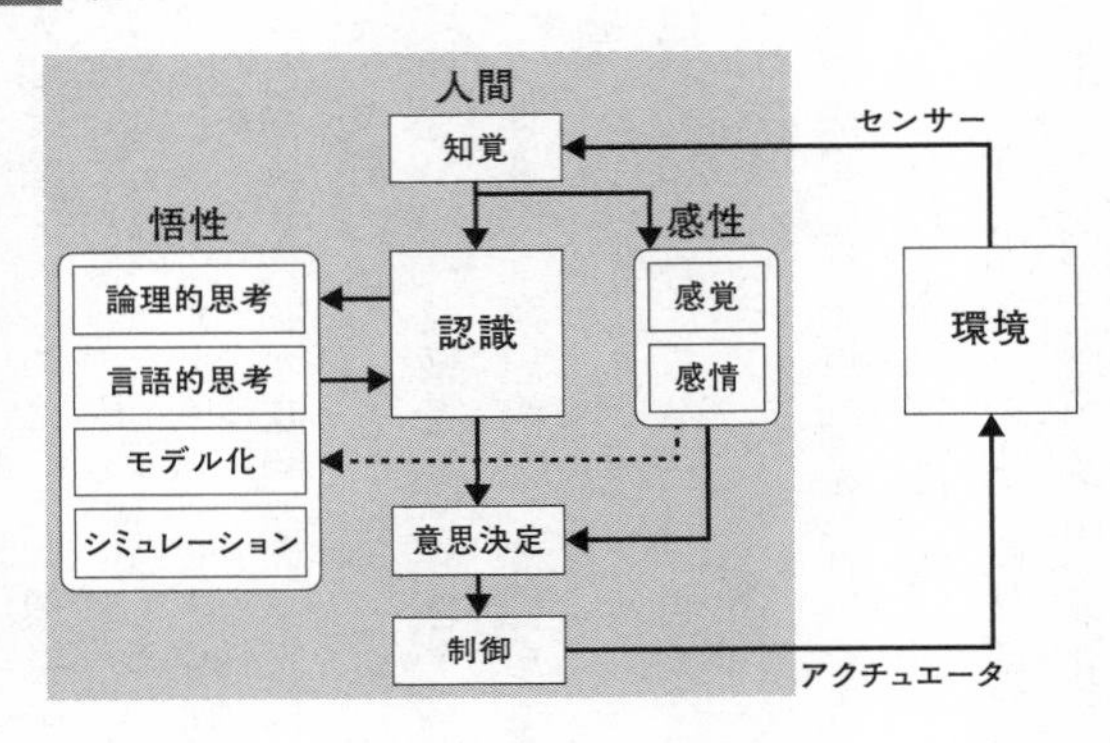

出所：筆者作成

ＡＩが人間よりも得意なのは、たくさんの数値データから関係やパターンを見出すことだ。ＡＩは、そうして見出した関係やパターンに基づいて、認識、意思決定、制御を行う。とりわけ、画像認識やゲームにおける意思決定では、人間を超えつつある。

逆に、ＡＩにとって難しいのは、人間に備わる複雑な感性を再現することだ。そよ風が吹いたら心地よいけど強風が吹きつけたら不快といった人間に備わる細かい感性をＡＩは理解しにくい。

それ以上に難しいのは、人間ならではの思考である悟性の再現だ。意外に思われるかもしれないが、今のＡＩはほとんどものを考えることができない。

先ほど、20世紀のＡＩでも論理的思考は可能だったと述べた。「ＡならばＢ」「ＢならばＣ」それゆえに「ＡならばＣ」というような単純なルールに従って、ＡＩはいくらでも「風が吹けば桶屋が儲かる」式の長く連なった推論を行うことができる。

それと一見矛盾するようだが、認識に基づいた論理的思考は、十分には行えない。20世紀のＡＩは、現実世界から「風が吹くと土ぼこりが立つ」とか「土ぼこりが立つと目にほこりが入って失明する人が増える」といった法則性を抽出するのが苦手だった。

21世紀のＡＩは、画像認識や音声認識、その他センサー情報の解析によって、現実世界から風の強さや土ぼこりを認識できるようになったところだ。

法則性を抽出し「風が吹くと土ぼこりが立つ」といった文（命題）の形で表現し、そのうえで演繹推論を行えるようにするというのは、今まさに多くのＡＩ研究者が取り組んでいるテーマだ。要するに、それは「知覚と直感」という子供の思考に「記号と論理」という大人の思考をつなぎ合わせるような試みである。

悟性の重要な働きとして、モデル化とシミュレーションがあり、これらも今のＡＩには十分に成し遂げることができない。

モデル化というのは、現実世界から重要なエッセンスを抽出して、世界のミニチュアのようなイメージを頭の中で思い描くことだ。動物でも子供でも、自分が住む場所の周りの環境に関するおよそのマップを頭に作り上げる。これも立派な世界のモデル化だ。

「風が吹くと土ぼこりが立つ」といった法則の集合も、現実世界を抽象化した物理的なモデルである。それくらいのモデル化だったら、動物でも子供でもできるかもしれないが、既に述べたようにAＩには不可能ではないにせよまだ難しい。

経済学でも社会学でも、現実世界の重要な法則を抽出して作られたモデルが扱われる。私の専門のマクロ経済学の教科書には、45度線モデルとかＩＳ－ＬＭモデルといった様々なモデルが登場する。

そうしたモデルをAＩが自動で生み出して、経済学者の仕事を奪うといったことは、今のところ幸いにも起きていない。今後も不可能なままとは限らないだろうが。

学者以外の人々でもなじみのあるモデルとして相関図がある。ドラマ番組の相関図も人間関係の構造的なモデルであり、人々は日常生活の中でもそのようなモデルを脳内で構築している。

そして、私たちは「Aさんに優しくしたら、Bさんが焼きもちを焼くかもしれない」などと日々面倒なシミュレーションを行いながら悶々と過ごしている。

フェイスブックのようなSNSのデータから相関図を作ることは、コンピュータにとっては難しくない。だが、現実の人間関係からモデルを作ることは、今のAIにはできない。

それを可能にして、しかも人間関係のシミュレーションを行わせるためには、AIに友人、恋人、上司といったかなり抽象的な言葉の意味を理解させなければならない。

なお、シミュレーションは、もともとコンピュータが得意なことではないかと思われるかもしれない。確かに、30年後の日本の人口を予測するには、コンピュータが威力を発揮するだろう。

ここで言っているシミュレーションはそういった数値的なシミュレーションではなく、イメージ的なシミュレーションだ。例えば、ライオンが追いかけているシマウマより速く走っている場面に出くわした時に、いずれライオンがシマウマに追いつき、食らいつくだろうと予想することだ。これまでのAIには、子供でも可能なこのようなシミュレーションができなかった。

人間関係のシミュレーションとなると、なおのこと難しい。速く走るライオンが鈍重なシマウマに追いつくというような物理的領域における認識よりも、人間関係のような社会的領域における認識の方がＡＩにとっては難しいからだ。その点については、後ほど詳しく論じる。

社会的領域における認識とも関係するが、今のＡＩに最も難しいのは言語的思考だ。今のところ、ＡＩは言葉の意味が理解できない。特に、抽象的な概念を使って物事を論じることは、困難だ。

3 人工知能に言葉の意味が理解できるか

知識表現

20世紀にはＡＩブームが二度あった。１９５６年に、計算機科学者がアメリカのダートマス大学で開いたダートマス会議の提案書で、人工知能という用語が初めて使われている。ここから始まるＡＩの第一次ブームでは、推論、探索が中心的なテーマとなった。

図2・6　迷路

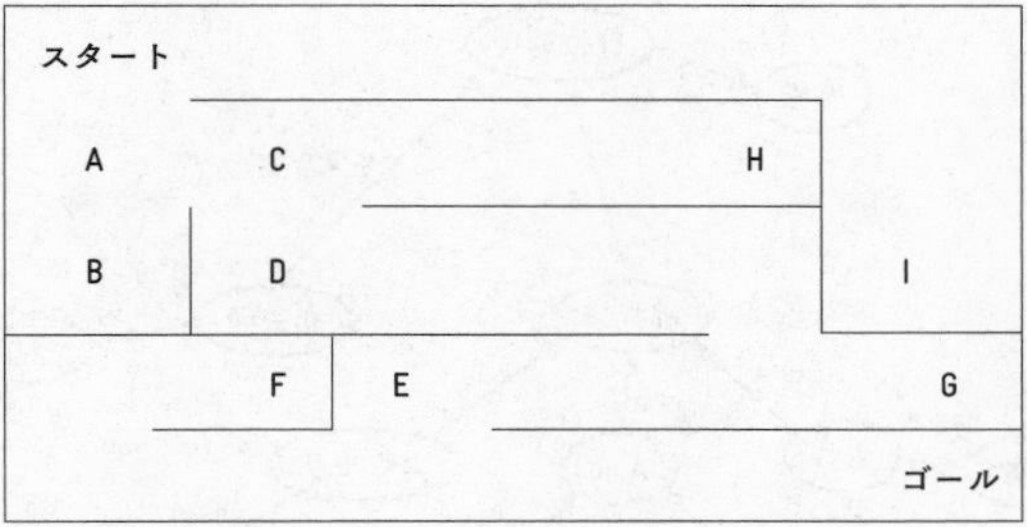

出所：筆者作成

図2・7　迷路の探索木

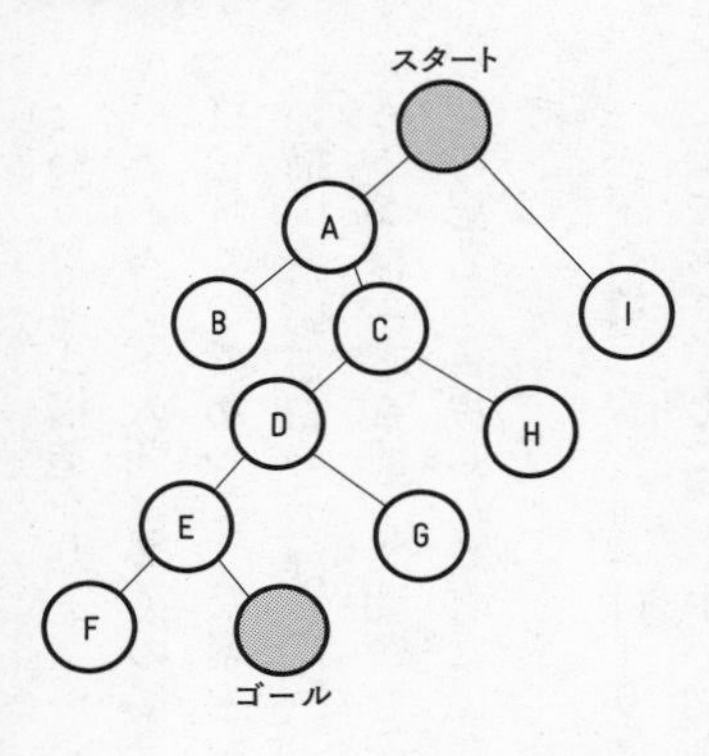

出所：筆者作成

探索というのはＡＩの専門用語で、「目的を達成するために膨大な数の経路がある時、どのようなたどり方をすれば能率良く目的に到達し得るかという問題」として定義される。迷路やチェス、将棋などのゲームが探索の例だ。

図２・６で示される迷路のような探索問題をＡＩに解かせる際には、図２・７のような探索木

図2・8　意味ネットワーク

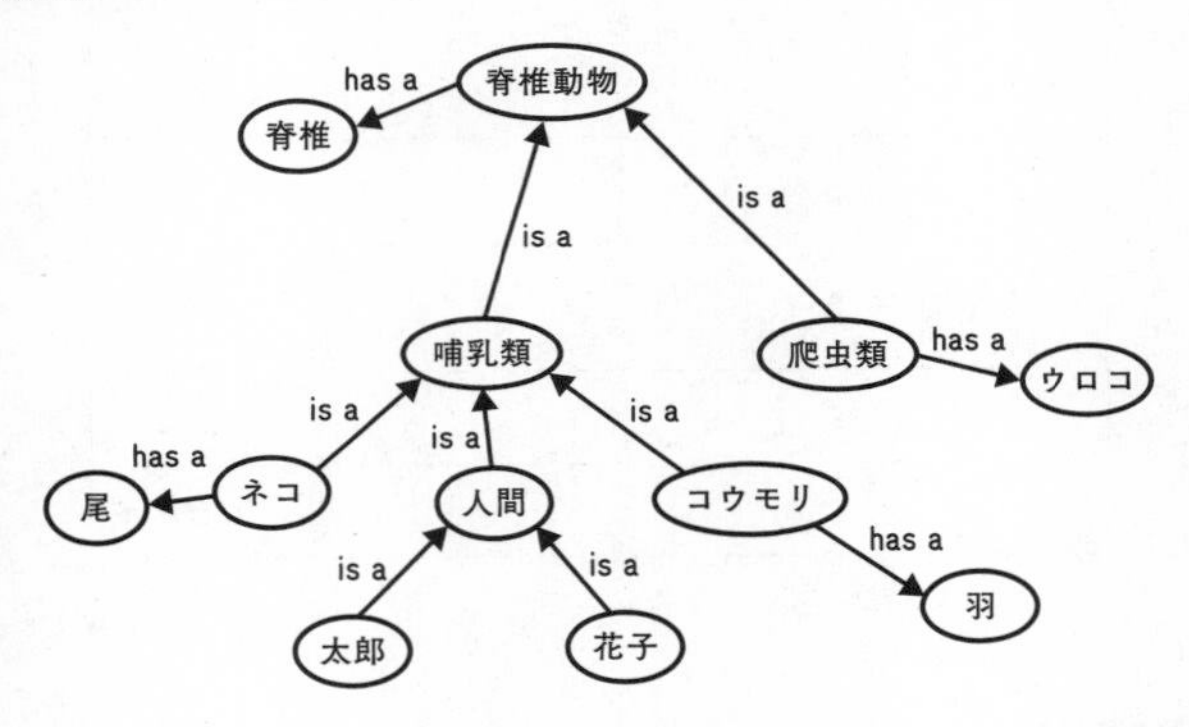

出所：筆者作成

というツリー構造を与えていた。

ところが、人間は多くの場合直感的に迷路を解くのであって、探索木を頭の中に思い描いているわけではない。したがって、AIが探索木を使って問題を解いても、人間の思考を再現したことにはならないのである。

AIの第二次ブームは1980年代に起こっており、そこでの中心的なテーマは知識表現だった。これは、人間の持っている知識を表現して、自動的に推論させるようなAIの分野であり、代表的な研究成果に意味ネットワークがある。

意味ネットワークは、図2・8のように概念どうしの関係性をネットワークで表現したものだ。人間と哺乳類が“is a”の関係で結ばれており、これは「人間 is a 哺乳類」つまり「人間は哺乳類である」を意味する。哺乳類と人間は、上位概念―下位概念という関係にあるということだ。爬虫類とウロコは"has a"の関係で結ばれており、これは「爬虫類 has a ウロコ」つまり「爬虫類はウロコを持っている」を意味する。意味ネットワークもまた、見事なまでにツリー構造を成している。

森羅万象をこのようなネットワークで表現したならば、人間のように思考ができるのではないかというのが、当初の目論見であった。しかし、その試みは、失敗とまでは言えないまでも、袋小路に陥ったのではないかと考えられる。

それは一つには、知識獲得を人手に頼ることに限界があるからだ。この世の中にある膨大な概念を人間が入力していては、いつまで経っても終わらない。私も学生の時に大学の授業でこの入力作業を行ったことがある。その作業に協力すると単位がもらえたからだ。

今のAIは、知識獲得の限界をビッグデータによって解決している。すなわち、ネットから膨大なデータを収集したり、あるいはSiriのように利用者のデータを蓄積して活用したりしているのである。

意味ネットワークのような知識表現が抱えるもう一つの問題は、そもそも言葉の意味は意味ネットワークによって表現できるのか、表現すべきなのかということだ。こちらの方が根源的な問題であろう。

シンボルグラウンディング問題――猫の概念とは何か？

私たちは「猫は哺乳類である」とか「猫は尾を持つ」といった辞書的な形式知（明確に表現可能な知識）に基づいて猫について考えているだろうか。そういう場合もあろうが、もっと頻繁に行っているのは、猫を実際に見て猫と判断したり、あるいは猫という言葉を聞いて猫の姿を脳裏に思い浮かべたりすることではないだろうか。

20世紀のＡＩに決定的に欠けていたのは、こうした猫のイメージだ。イメージというのは具体的には、猫の姿や鳴き声、猫の触り心地に関するデータである。

認知科学者スティーブン・ハーナッドが、１９９０年にシンボルグラウンディング問題（記号接地問題）を提示した。これは、記号と意味をどう結びつけるかという問題である。あるいは、シニフィアンとシニフィエを結びつける問題と言ってもいい。

これらは、20世紀スイスの言語学者フェルディナン・ド・ソシュールが考案した用語だ。シニフィアンは、猫なら「猫」という文字（あるいは「猫」という音声）のことである。シニフィエの方は、猫という言葉の指し示すイメージ、意味、実体そのものだ。言葉というのは、シニフィアンとシニフィエが紙の裏表のようにセットになって成り立っている。

コンピュータは、これまで言葉を記号として処理することはできても、意味を理解できなかった。それは言葉のイメージが欠けているからだ。コンピュータが猫のイメージを獲得するには、猫のイメージ自体をデジタル化する必要がある。

すなわち、猫の画像を読み込んで、コンピュータに猫の色や形状を理解させなくてはならない。それだけでなく、鳴き声の音声や餌を食べている動画、さらには猫の肌触りに関するデータ（マルチモーダルな知覚データ）を読み込ませ、認識させる必要があるかもしれない。

猫の視覚的イメージを0と1から成る画像データとしてデジタル化することを、記号化と言ってもいいかもしれない。0や1も記号だからだ。ただし、それは言語的な記号（シンボリックな記号）ではないので、区別するために符号化ということにしよう。

言葉の意味というのは、辞書的な定義ではなくそのイメージだ。シンボルグラウンディング問題を解消できるかどうかは、言葉の持つイメージを0と1に符号化できるかどうかにかかっている。視覚的イメージや聴覚的イメージに関しては符号化可能だ。

記号主義的なアプローチによるＡＩ研究は、単純に言語的な記号を処理するだけで事足れりとしたので失敗した。物理世界は“Cat”のような記号で表現可能だという考えを、物理記号システム仮説という。その間違いが明らかになったのである。

アメリカの哲学者ジョン・サールは、１９８０年代に人間の思考は記号操作以上の何物かであると言って、ＡＩの限界を指摘した。人間は思考する時に単純に言語的記号を操作しているのではなく、言語の持つイメージも操作しているのである。サールの批判は、当時のＡＩにはおよそ当てはまるが、今のＡＩには当てはまらない。コンピュータは、言語的記号だけでなく画像データや音声データも処理できる。

今のＡＩは、視覚データから猫の姿のパターンを獲得したり、音声データから猫の鳴き声のパターンを獲得したりできる。それによって、シンボルグラウンディング問題を解決する糸口くらいはつかめている。

グーグルが開発したニューラル・イメージ・キャプション・ジェネレータというプログラムは、画像に注釈を付けることができる。例えば、人が泥道をバイクで走る画像をインプットすると、その通りに「泥道をバイクで走る人」といったテキストを生成する。このプログラムもディープラーニングに基づいている。

フェイスブックは、それとは逆にテキストから画像を生成するプログラムを開発した。このプログラムに"beach"と入力すると、実際に海辺の絵が作り出されるのである。

これらの技術は、まさに記号とイメージがコンピュータの中で結びついているものと見なすことができる。今後のAI研究の主要なテーマであるシンボルグラウンディング問題の解決につながるような成果が、一般の人の目にも見える形で現れ始めているわけだ。

チューリングテスト

AIが知的かどうかを判定するための手段はいくつかあるが、有名なのは「チューリングテスト」だ。イギリス人の数学者でコンピュータの基礎理論を作ったアラン・チューリングが考案したこのテストは、現代流にいうとこうなる。

ネット越しにチャットとしている相手が、AIなのか人間なのか区別できなければ、AIに知性があるものと見なす

このテストが問題含みなのは、ＡＩが言葉の意味を理解していなくてもそれらしい応答をしていれば、人間と区別できない可能性があるからだ。

1960年代に実際に利用されたＥＬＩＺＡ（イライザ）というＡＩは、今でいうチャットボットのようなもので、セラピストの役割を果たすことができた。言葉の意味は分かっていないが、本当のセラピストのように応答するので、イライザにはまり込む患者も出てきたくらいだ。

こうした言葉の意味を理解していない会話型のＡＩは、人工無能と一般に呼ばれている。本書では、言葉の意味の分からないまま自然言語処理を行っているＡＩ全般を、人工無能に含めることにする。

そうすると、りんなやシャオアイスのようなチャットボットだけでなく、グーグル翻訳やＳｉｒｉも人工無能ということになる。

Ｓｉｒｉを利用していると、「コイツはオレの言っていることを理解しているんじゃないか」という気にさせられるかもしれないが、人間の問いかけに対して、統計的に妥当であろう返答をしているだけだ。

Ｓｉｒｉは、「朝8時に起こして」とリクエストされるとちゃんと8時にアラームをセットしてくれる。だが、「朝」が「日が昇った後の状態で昼の前」を意味するということを理解しているわけではない。それゆえ、人間ではあり得ないようなトンチンカンな答えを返してくることがある。

今後Ｓｉｒｉが進化してトンチンカンな答えを全く返してこなくなった時、チューリングテストをクリアしたと言ってもいいかもしれない。だからと言って、Ｓｉｒｉが言葉の意味を理解できるようになったことにはならない。

２０１４年にロシアが開発した13歳の少年という設定のＡＩが、チューリングテストに合格した。テキストでチャットを行い、３分の１の審査員がＡＩか人間かの区別がつかなかったのである。だが、このＡＩもやはり人工無能であり、言葉の意味を分かっているとは言い難い。

人工無能は、実空間にあるコップを見た時に「コップ」と言い当てることができない。つまり、シニフィエに対してシニフィアンを割り当てることができない。チャットボットや自動翻訳・通訳のような情報空間で活躍するＡＩは、人工無能であるにもかかわらず、人間に近い振る舞いができるようになりつつある。

実空間でＡＩが活躍するには、シンボルグラウンディング問題をある程度解消する必要がある。言葉を理解し得るＡＩがロボットに搭載されれば、接客ロボットとして利用することができるはずだ。

例えば、レストランで「あちらの席に移っていいですか」と客に聞かれた時に、「あちら」とか「席」の意味するところが分かっていないとロボットは対応することができない。人工無能搭載のロボットでは、そのような接客はできない。

情報空間ならば人工無能でも対応できるコミュニケーションが多いが、実空間でAIがロボットの頭脳として働くには、意味が分かっている必要がある。「席」と言われて人間が座ることのできる椅子のイメージを思い浮かべられないといけない。逆にいうと、実空間でこのようなコミュニケーションを行っている仕事はかなり多いので、AIの技術進歩が言語理解の壁を乗り越えたならば、そのインパクトは計り知れないものとなる。接客業だけでなく、建設業や介護の現場でもロボットが人間のように働けるようになるかもしれない。

高次の概念を獲得できるか?

シンボルグラウンディング問題の完全な解決に至る道のりには、大きな壁が待ち受けている。人間は視覚や聴覚などの知覚のデータとは直接結びついていない自由、権利、所有、市場といった抽象概念を使いこなすこともできる。

猫やご飯などが幼児でも使っている低次の概念であるとするならば、自由や権利はもう少し大人にならないと使いこなせない高次の概念だ。低次の概念の理解を積み上げていくことで高次の概念の理解に到達できるかどうか。そこには大きな壁がある。

ＡＩにとって可能な認識は、数値データからパターンや関係性を取ってくることだけだと先ほど述べた。画像データはすべて数値で表現できるので、猫の視覚的イメージの数値データは存在する。

それに対し、自由の意味に該当する数値データは今のところ存在しない。しかし、これは原理的に存在し得ないことを意味しない。今のところ、高次の概念を表現する方法が分からないのである。

自由とは「自分の意のままに振る舞うことができること」（大辞泉）であるというように、辞書的な意味をＡＩに覚え込ませることは簡単だ。しかし、そのような20世紀的なＡＩのアプローチでは自由という言葉の意味をＡＩが獲得したことにはならないし、それゆえにこの言葉を自在に使いこなせるようにはならない。

自由という言葉を聞いた時に、私たちは身体の拘束から解き放たれた状態や期末試験が終わった時の解放感など様々なイメージを思い浮かべる。しかも、そのイメージは人によって異なる。それにもかかわらず、人間どうしのコミュニケーションは可能であるか、少なくともコミュニケーションがうまくいっているような錯覚を得ることくらいはできる。

ところで、私は先ほど猫を低次の概念と述べたが、猫のシニフィエも直接的な知覚データのみから構成されているわけではない。「猫の手も借りたい」という言葉の意味を理解するには、猫は気ままであまり人間の役に立つ働きをする動物ではないということを知っていなくてはならない。

そのためには、さらに「気まま」や「役に立つ」といった概念を理解している必要があるが、これらも高次の概念だ。猫のような単純な言葉すらも人間のように使いこなすには、高次の概念を獲得することの難しさが大きな壁となるのである。

したがって、人間にできてAIに難しいことの一つは、高次の概念を組み合わせて構築物を作ることだ。それを私は概念操作と呼んでいる。例えば、小説や評論を書くとか、映画を作るといったことは、概念操作によって可能となる。権利とか所有といった抽象概念を理解していなければ、まともな社会派サスペンスを作ることはできないだろう。

理系の学者は先に職を失う!?

人間の認識の対象を、

⑴　物理的領域（物理現象の起こる領域）
⑵　内的領域（人間の内面の領域）
⑶　社会的領域（人間どうしの関わりの領域）

に分けて考えてみよう。それぞれの領域で使われる概念があって、そういった概念を使って人間は認識を行っている。

⑴物理的領域は、コップが落下するといったような文字通り様々な物理現象の起こる領域だ。⑵内的領域は、感覚や感情、思考などの人間の内面で生じる現象を指している。⑶社会的領域は、コミュニケーションや人間関係、コミュニティ、国家、法、経済などを含む領域だ。

おおざっぱに言えば、物理学者や化学者のような自然科学者は物理的領域を、哲学者や心理学者、文学者のような人文科学者は内的領域を、政治学者や経済学者、法学者のような社会科学者は社会的領域をそれぞれ研究の対象にしている。

前章でいう実空間は物理的領域に相当しており、視覚によって把握できる対象を多く含んでいる。情報空間は内的領域と社会的領域におよそ相当し、国家や感情など目に見えない対象を多く含んでいる。なお、物理的領域と社会的領域は、どちらも人間にとって外的領域だ。

１３８億年前に宇宙が出現し最初に現れたのは物理的領域だ。ただし、その時には物理的領域を観測し得る生命は存在しない。

46億年前に形成された地球の上に、38億年前、外界からの刺激に反応し得る生命というものが誕生し、やがて感覚や感情といった内的領域が生成されていった。さらに、人類が誕生し言語でコミュニケーションを行うようになり、社会的領域が広がっていった。

ハラリは『サピエンス全史』で、現生人類は虚構を作って大勢で共有する能力によって、ネアンデルタール人などの他の人類種よりも繁栄したと述べた。国家や法律などの共有された虚構が、ここでいう社会的領域だ。

ＡＩにとって概念獲得が簡単なのは、⑴物理的領域、⑵内的領域、⑶社会的領域の順番だ。そうすると、職を失いやすいのは自然科学者、人文科学者、社会科学者の順番ということになる。

ただし、これはかなり雑な話で、私が専門に研究している経済学は、ＧＤＰや失業率などの数値を扱っているので、残念ながらＡＩに職を奪われやすい。また、人文科学者は社会的領域にも関わってくるので、必ずしも社会科学者より先に失職するとは限らない。

いずれにしても、文系の学者よりも理系の学者の方が先にＡＩ失業にさらされる可能性が高い。ＡＩにとっては、落下のような物理的領域の概念の方が、民主主義のような社会的領域の概念よりも獲得しやすいからだ。

コップから手を離したら落下するというような物理現象は、幼児でも理解している。人が直感的に物理現象を理解するこのような能力を、直感物理学という。

今、ＡＩにこの直感物理学を身に付けさせる研究が進んでいる。この延長上には、回転、落下、重力といった概念の獲得がある。物理的領域は目に見える対象が多いので、画像認識が人間並み以上の精度となった現在では、ＡＩによる概念獲得は実現可能となっている。

次にＡＩに身に付けさせやすいのは、好きとか怒りといった感情や感覚に関する概念である。この種の概念を理解するには、ＡＩがある種の身体性を持っていなくてはならない。

ロボットに人間の感情の仕組みを模倣した感情システムが組み込まれているとしよう。今でもペッパーは、人間の脳内ホルモンの働きを模したような感情生成エンジンを持っている。

好きというのは、例えばある人間に対して抱く、より長く一緒にいたいとか話をしたいといったような感情として定義できる。

ロボットが感情システムに従って、ある人間に対しそういう振る舞いをするのであれば、好きという感情の機能は備わっていることになる。もちろん人間と同様に好きという感情そのもの（クオリア、後述）を抱いているわけではない。また、人間の好きという感情はもっと多様で複雑だ。

そうではあるが、ロボットが自分の振る舞いについて、好きという言葉を使って適切に説明できたならば、とりあえずは好きという概念を獲得できたということができるだろう（人間の持つ好きの概念よりも単純ではあるけれど）。感情システムが人間に近づくにつれて、感情に関する概念も人間の持つものに近づいていくはずだ。

ＡＩにとって最も難しいのは、社会的領域の概念の獲得である。権利、所有といった高次の概念の多くは、社会的領域に含まれているからだ。歴史を通じて社会は複雑化していき、それに伴って社会的領域に含まれる高次の概念が増大してきた。

ＡＩが民主主義という言葉を理解し使いこなすには、独裁下での言論弾圧の恐怖といった感情を想像できて、民主主義的な社会のモデル（イメージ）を持っていて、それを使ってシミュレートできなければならない。

つまり、言論の自由があるがために国民どうしが政治について忌憚なく発言することができて、国民が投票権を有するがために国民にとって望ましい為政者が選出される、といったことがイメージできている必要がある。

そのように書かれたテキストをＡＩに読み込ませても、民主主義を理解したことにはならない。この手の高次の概念を理解しているかどうかをＡＩにテストする方法として、レポートを書かせることが考えられる。

民主主義をテーマにレポートを書かせるということだ。もちろん、今のＡＩはネット上から民主主義に関するテキストを集めてきて、それを加工してレポートに仕立て上げることができる。

しかし、それはいい加減な学生のレポートのようなものだ。最近の大学では、ネットや本の表現を切り貼りしてレポートを書くと、剽窃（ひょうせつ）として停学などの処分の対象となることがある。今では剽窃チェッカーといったソフトウェアがあって、Ｗｅｂページからの切り貼りは簡単に見抜かれる。

テキストをただ加工するだけでは、まともなレポートを書くことはできない。意味を理解し概念を操作し思考する必要がある。つまり、悟性をフルに働かせる必要がある。

社会的領域におけるシンボルグラウンディング問題が解消されなければ、ＡＩが大学に入学したところで、政治学や経済学などの社会科学の科目のレポートを書いて優秀な成績を収めることはできないだろう。

4 人工知能に常識的な判断はできるか

フレーム問題

人間並みのＡＩを実現するうえで、シンボルグラウンディング問題と並んで、解消されなければならない難問にフレーム問題がある。

当たり前だが、人間は電球を取り換えるといったような作業を難なくこなすことができる。その際に、電球を取り換えるのに必要な事象のみに注意を払って、その他の事象について思考の外に置くことができる。

取り付けてあった電球を外した後に手を離したら、落下して割れてしまう可能性がある。それゆえ、外した後も電球を持ち続けなければならない。そんなことは人間にとっては常識だが、ロボットにとっては常識ではない。

人間がプログラミングして、電球を外した後に手で支えるようなロボットを作ることは、原理上可能だ。だが、他にも電球を強く握って割ってしまわないようにしなければいけないとか、取り外した電球を床に置いたら誰かが足で踏んで怪我を負ってしまう可能性があるから、テーブルに置かなければならないとか、いくつも考えなければならないことはある。

そうした様々な悪影響について考慮するようなロボットを作ろうとしても、そうしたロボットは「電球を外したら天井が落下するかもしれない」とか「電球をテーブルに置いたら机が潰れるかもしれない」といったあらゆる可能性について想像を巡らして、永遠に考え込んでしまうかもしれない。

人間であれば、無限の事象のうち、直面した問題に関係する事象のみをフレーム（枠）で囲んで、そのフレームの中だけで思考することができる。「天井が落下する」や「机が潰れる」は埒外の事象として、考慮せずにいられる。

チェスや将棋などのゲームでは、起こり得る事象や取り得る手は有限だが、現実世界には無限の事象があり、無限の取り得る振る舞いがある。

だとすると、ゲームの世界では人間のチャンピオンを打ち負かすＡＩも、現実世界の問題には人間のように対処できないことになる。計算量が無限に発散してしまって、必要な情報のみを取り出して速やかに解決を図ることが難しいからだ。

ただし、よく指摘されているように、人間もフレーム問題を完全に解消しているわけではない。というのも、直面した問題に関係する事象のみを適切にフレームで囲むことに、人間もしばしば失敗するからだ。前章で述べた原発事故はまさにそのような例である。原発稼働に伴って起こるあらゆる副次的な事態を人間が考慮できるわけではない。

アメリカの哲学者ダニエル・デネットは、フレーム問題の例として、洞窟からバッテリーを取ってくることを命じられたロボットが、バッテリーの上に載った爆弾ごと運び出して爆発に巻き込まれてしまうことを取り上げた。人間もここまでではないにせよ愚かなことには変わりない。

人間がフレーム問題を解消しているかのように振る舞えることを、「すり抜ける」という言葉で言い表すことにしよう。人間はフレーム問題をすり抜けることができるのは、トライ＆エラーを繰り返して学習するからだ。

小さな子供は、フレーム問題をすり抜けることができない。子供に部屋の片づけをお願いして、「落ちている紙はゴミ箱に捨てて」と言ったら、１万円札をゴミ箱に放り込んでしまうかもしれない。

人間は成長していく過程で、自分で失敗をして損害をこうむったり、親や先生に怒られたりしながら、常識を身に付けていく。ＡＩも長い学習過程が与えられるならば、人間同様にフレーム問題をすり抜けることができるようになるだろう。

フレーム問題は、ＡＩ研究の大御所だったジョン・マッカーシーらが１９６９年に提唱した古くからある問題だ。その当時主流のＡＩは、逐一人間がルールを与えてあげなければならなかった。

ところが、現在主流の機械学習ベースのＡＩであれば、自分でトライ＆エラーを繰り返しながら、問題を解決する方法を探り当てることができる。

ＤＱＮ

前述のアルファ碁というＡＩを世に送り出して囲碁のチャンピオンを打ち負かしたディープマインド社がその前に開発していたのは、ＤＱＮ（deep Q-network）というＡＩだ。

このＡＩは、ディープラーニングと強化学習（Ｑ学習）に基づいており、ブロック崩しやピンボール、インベーダーといった昔流行った49個の簡単なゲームをプレイする。

いずれももともとは、１９７７年にアメリカのアタリ社が発売したAtari 2600というゲーム機のソフトウェアである。

強化学習というのは、機械学習の一種で、ＡＩが試行錯誤しながら目標値を最大にする行動をとれるようにする技術だ。

強化というのはもともと心理学の用語である。動物が報酬や罰といった刺激に反応して行動形成することを、オペラント条件付けという。その中で、ある行動の頻度が増えることを強化というのである。逆にある行動の頻度が減ることを、弱化という。

オペラント条件付けを体系化したアメリカの心理学者バラス・スキナーは、箱の中にネズミを閉じ込めて、ブザーが鳴った時にレバーを押すと餌がもらえるようにした。この箱を、スキナー箱という。

ブザーを何度も鳴らすと、次第にネズミがレバーを押す頻度が増えていく。つまり、レバーを押すという行動が強化されたのである。

こうした一連の行動形成は、

- 状態：ブザーが鳴る
- アクション：レバーを押す
- 報酬：餌がもらえる
- 方策：ブザーが鳴ったらレバーを押す

といった要素から成り立っている。

このような行動形成をプログラムに行わせるのが、強化学習というAI技術である。つまり強化学習とは、ある状態の時にどのようなアクションをとったら報酬がより多く得られるかという方策を、学習して身に付けさせることだ。

DQNには、ゲームの画面がインプットとして与えられ、ゲームのスコア（得点）が強化学習の報酬として設定されているだけである。人間からそれぞれのゲームのルールを全く教わらないし、ゲームごとの特別な設定も必要ない。

DQNは、それだけで各ゲームのやり方をマスターしてしまい、49個のゲームのうち29個では人間のプロプレイヤーと同等レベルかそれ以上のスコアを叩き出してしまった。

ブロック崩しの裏技もマスター

例えば、ブロック崩し（ブレイクアウト）は、飛んできたボールを画面下部にあるバーでテニスのように跳ね返し、ボールがブロックに当たってそれが崩れると得点が得られるというゲームだ。

最初、DQNはバーを左右にランダムに動かすだけだ。だが、偶然バーにボールが当たってブロックが崩れてスコア（得点）が得られると、バーにボールを当てるような振る舞いが強化される。機械学習を始めて2時間もすると、およそ常にバーにボールが当てられるようになる。

4時間が経つと、人間が編み出した裏ワザをDQNも自ら体得してしまう。それは、ブロックのある箇所を集中的に崩して穴を空け、ボールをブロックの上部に向かわせるというものだ。そうすると、上部の壁とブロックの間をボールがぴょんぴょんぴょんと上下に行き交って、多くのブロックを崩すことができる。

DQNは自分で画面を見て試行錯誤しながら、スコアを増やすコツをつかんでいく。人間は明確にルールを教えられなくても、何となく直感的に物事のやり方を体得することができる。AIは遂に、以前には苦手だとされていたそのような「何となく」の感覚を身に付けることができるようになった。

以前は、コンピュータがブロック崩しをプレイするにはブロック崩し用のＡＩプログラムを、ピンボールをプレイするにはピンボール用のＡＩプログラムを、人間がそれぞれ作らなければならなかった。

それに対し、ＤＱＮは一つのＡＩでありながら、あたかも各ゲームに対応したプログラムを自ら勝手に生成して実行するかのように、様々なゲームをプレイすることができる。

人間の脳が情報を受容することで思考パターンを作り出すのと同様に、ＤＱＮは読み込んだゲームのプレイ動画を基にゲームを攻略するための思考パターンを作り出すのである。

神託ＡＩと世界内ＡＩ

こうしたＤＱＮの挙動を見ていると、ドイツの哲学者マルティン・ハイデッガーが展開した世界内存在という概念を想い起こさせられる。世界内存在は、人間が神のように世界を外から見下ろしているのではなく、世界の中で生きるために周りの環境を意味づけながら存在することを意味する。

科学的知は、神が世界を外から見下ろすかのように客観的に事物を認識しようとする。それに対し、生活者としての人間の知つまり生命的知は、世界内の様々な事物を自分の生存・生活と関連付けて主観的に認識しようとする。後者の認識をするものこそが、世界内存在だ。

これは全く難しい概念ではなく、私たちが日常的に経験していることだ。世界内存在としての人間からすれば、ガラスのコップは、単にケイ酸塩のかたまりではなく、透明な円柱形の物体でもなく、水やウーロン茶、コーラを飲むための道具だ。様々な事物は、私たちの欲望や目的に沿って認識されるのである。

わたしたちはこの部屋というものに、「四つの壁にかこまれたあいだ」としての幾何学的な空間という意味ではなく、住む道具として出会っているのである

製作されるべき［製品としての］靴は、履くためのもの（履物）であり、製造された時計は、時刻をしるためのものである　――ハイデッガー『存在と時間』37

ＡＩはこれまで、対象を客観的に認識する主体として開発されがちだった。それでもある程度役に立つＡＩは実現できるだろう。質問にいろいろと答えてくれるＡＩを神託ＡＩ（オラクルＡＩ）という。神託ＡＩは、ネットから引っ張ってきた知識を基にいくらでもクイズに答えられるだろう。

だが、人間と同様の知的振る舞いをするＡＩを実現するには、世界の中で自ら何らかの活動を行わなければならない。というのも、人間はまさに世界内存在として振る舞うからだ。神託ＡＩは博識かもしれないが、ロボットに組み込まれて手足を持ったとしても、パスタをゆでたり建設現場で働いたりはしてくれない。

私たちが人間のあらゆる労働を代替してくれるようなＡＩを欲するのであれば、そのＡＩは恐らく世界内存在、つまり世界内ＡＩでなければならないだろう。手足をばたつかせながら学んでいくようなＡＩでなければ、生命的知を身に付けることはできない。実践的なＡＩには、身体性が必要なのである。

言葉の意味を理解するＡＩもまた、世界内ＡＩでなければならないだろう。猫という言葉の意味は、単に猫のような視覚的イメージを持つ物体なのではなく、可愛らしく癒やされるペットとか、気まぐれでさほど人間の役には立たない生き物といったことを含んでいる。その他、私たちはたくさんの意味を猫という言葉に込めているが、それは人間が世界内存在だからである。

画像認識で得られる猫のイメージは、猫の意味を構成する重要な要素ではある。だが、人間にとっての猫の意味は多様であり、視覚的イメージには回収し切れない。人間は、自分の欲望や目的に沿って猫に対して過剰な意味づけを行っているからだ。

ハイデッガー研究でも知られているアメリカの哲学者ヒューバート・ドレイファスは、1972年に『コンピュータには何ができないか』(産業図書)で、AIは世界内存在ではないから人間のように振る舞うことができないと論じている。

> 現代において少なくともコンピュータは明らかに身体をもっていないのだから、人間が身体をもっているという事実を無視した知的振舞の理論を立てざるをえない
>
> 実際、人工知能にとって最大の問題を引き起こしたのは、知的振舞いの身体的側面だった
>
> 『存在と時間』においてハイデガーは、人間の精通している世界を、道具(Zeuge)の付置をモデルとして記述している。それによれば、人間の世界では

それぞれの道具はお互いに指示し合っており、それはまた活動の場全体、ひいては人間の目的や目標にも関係している

――ドレイファス　『コンピュータには何ができないか』[38]

AIは身体性を持たず、世界内の事物を欲望や目的に沿って意味づけることができないので、人間のようには振る舞えないと言っている。

当時のAIには、確かにドレイファスの指摘が当てはまる。人間の与えたルール通りにしか動かない20世紀のAIは、世界内AIではあり得ない。ところが、今のAIはドレイファスのいう機械の限界を超えつつある。

DQNは世界内AIと言えなくもない（といってもその世界はゲームの世界ではあるけれど）。「手足をばたつかせながら学んでいく」と先ほど述べたが、手足の代わりにボールを跳ね返すバーであっても一向に構わない。

ブロック崩しをするDQNにとって、ブロックは単なる長方形のかたまりではなく、ボールをぶつけるとスコアアップさせることのできるなにものかだ。それは目的に沿って意味づけられており、ハイデッガーのいう道具性を有している。

DQNは、科学的知のように世界を客観的に認識するのではない。ゲームの世界内で、自らもがきにもがいて生きる（スコアアップする）ための知恵を身に付けるのである。

身体性といった場合に重要なのはさしあたり、人間やその他の動物が持っているような物質的な身体ではない。そうではなく、欲望や目的に沿って世界内の事物を動かしながら学んでいく能力であり、その能力こそがフレーム問題のすり抜けを可能にする。

身体をもった者はあらゆることを形式化するという無限の課題を回避するような仕方で、世界の中に住まうことができるのである

――ドレイファス『コンピュータには何ができないか』[39]

ルールベースのＡＩは、ルールが想定していない事態には対処することができない。あらゆる事態に対処するＡＩを作るには、無限のルールが必要だ。

それに対し、ＤＱＮは身体性を持っているがゆえに、人間がルールを与えなくても、自ら試行錯誤を繰り返して学ぶことができる。新規の事態に対して、どのようなアクションをとれば目標（スコア）を最大化できるのかを、幾度か失敗しつつも体得することができる。ＤＱＮは「世界の中に住まうことができる」[40]ＡＩなのである。

人間とは異なりＤＱＮの人生は、スコアというただ一つの基準で測られる単線的なものだ。それでも、人間の子供が失敗の経験を通じて学んでいくように、トライ＆エラーを繰り返すことで、その基準でのより望ましい振る舞いをとれるようになる。

ただし人間は、ゲームのプレイヤーとは異なり、何もかもトライ＆エラーを通じてしか学べないのであれば、常識を十分身に付ける前に、死んでしまうかもしれない。「マンションの２階から飛び降りたら怪我をしなかった、３階から飛び降りたらどうだろうか」などと順繰りに試していったら、障害を負ったり死んでしまったりする。実際、向こう見ずな子供が度胸を試して命を落とすことがある。

そこで必要とされるのが、モデル化とシミュレーションだ。物体を高いところから落としたら潰れるという世界に関する法則が分かっていれば、それに基づいて自分の身体が落下したらどうなるかといったシミュレーションを行うことができる。ＡＩが人間並みにフレーム問題をすり抜けるには、前述したモデル化とシミュレーションといった悟性の能力も不可欠だ。

洞窟からバッテリーを取ってくることを命じられたロボットが、爆発に巻き込まれないようにするには、バッテリーの上に載った爆弾ごと運び出したらいかなる事態が発生するのか、あらかじめシミュレートしなければならない。

DQNは、人間のようにはモデル化とシミュレーションを行うことができない。ただし、それらはAIに原理的に不可能ということではなく、現在まさに研究が進められている。

フレーム問題を解くには人間らしい感性も必要だ

DQNが他に人間と異なるのは、多様な欲望を持ち得ないという点だ。DQNは、スコアアップというただ一つの目的しか持たない。それをAIの欲望と比喩的に言い表すこともできるだろう。DQNは、スコアアップしたいという欲望を持つのである。

世界内におけるトライ&エラーやモデル化、シミュレーションの他に、フレーム問題を人間のようにすり抜けるのにもう一つ必要なのが多様な欲望であり、人間の複雑精緻な感覚や感情といった感性だ。人間は、足で電球を踏んで割ったら痛みを感じるという感性を持っている。

したがって、電球を取り換えることが主要な目的であったとしても、自分の持つ感性に基づいて、様々な負の影響を考慮することができる。

ところが、今のＡＩはたいてい目標が一つ（せいぜい数個）しか与えられていない。ＤＱＮだったら、ただゲームのスコアを高くすることだけが目的だ。アルファ碁だったら、囲碁に勝つこと以外には目的はない。

電球を取り換えることだけがロボットの目的であれば、取り外した電球が割れようが、人が傷つこうが気に留めることはないだろう。洞窟からバッテリーを取ってくることが目的のロボットであれば、バッテリーの上に載った爆弾ごと運び出して爆発に巻き込まれても、一向にお構いなしだ。

強化学習というＡＩ技術は、人間の報酬系の近似ではあり得るが、固定的な報酬を設定しているところが、実際の人間の報酬系とは異なっている。言い換えると、今のところＡＩ・ロボットは人間が与えた欲望を持つだけだ。それらの欲望は変化せず、新たな欲望に目覚めることもない。

ところが、人間を含む多くの哺乳類は、食欲、性欲、睡眠欲といった三大欲求以外の多くの欲望を持つだけでなく、今までになかったような欲望に突然目覚めることがある。

人間には、未知の絵画を見て感動を覚え、その絵画をまた見たいと欲することがあるが、こうして新たな欲望に目覚めるのはなにも人間だけではない。

一時期、猫が段ボールに入り込む動画がネットで流行ったことがあった。その動画を見る限り、猫は段ボールという未知のものに興味を覚え、その中に入り込みたいという新たな欲望を抱いているようだ。

そして、その行為が快感をもたらすことを確証すると、幾度も段ボールに入り込むようになる。少なくとも猫のような哺乳類は、報酬系をダイナミックに変化させ、新たな欲望を発生させる動物であろう。

人間以外の動物は、生きるために必要な行動様式があらかじめ本能（生得的なメカニズム）としてプログラムされているかのように考えられることがある。デカルトは、動物を精神を持たない自動機械と見なしていた。そうであれば、動物のように振る舞うAI＝ロボットは比較的簡単に作れることになる。

ところが、実際には猫であっても新たな欲望に目覚めることがあり、多くの動物は本能だけで動く自動機械ではない。人間は本能の壊れた動物であり、なおのこと多様な欲望を獲得し得る。

イギリスのAI・ロボット研究者マレー・シャナハンは、人間のいかなる欲望をも持ち得るさまを「人間の報酬関数の無制限性」[41]として表現している。「人間はどうやら自らの報酬関数を根本的に改変することもできるようである」[42]。

なぜ、人間は他の哺乳類に比べて、報酬系をとりわけ大きく改変できるのだろうか。人間は、赤ん坊であれば乳を飲むといった生きていくために必要な本能が備わっているが、それでも他の動物に比べればかなり少ない本能しか持たず、多くの欲望を後天的に獲得する。

人間が他の動物と比べて特殊なのは、赤ん坊の頭が体に比して大きいために、未成熟のまま生まれてくるということだ。オランダの動物学者ルイス・ボルクは1920年に、人間はチンパンジーの未成熟体であるという人類ネオテニー説を唱えた。ネオテニーというのは、ウーパールーパー（アホロートル）のように、幼生の特徴を持ったまま成熟することをいう。

人類ネオテニー説が正しいかどうかは別にしても、生まれたばかりの馬がすぐに立って走り出すことができるのに対し、人間の赤ん坊が何年も親の庇護の下でないと生きることができないのは確かだ。

それだけ未成熟な期間が長く、生まれた後になってから、ニューロンの間のつながりであるシナプスが爆発的に増大する。それだから、余計に報酬系はダイナミックに変化し、人間は一人ひとり違った欲望を持った個性ある存在にもなり得る。

人間が狼になったり、サメになったりできるのも、生後のシナプスの爆発的な発達によるのかもしれない。狼は狼として生まれ、サメはサメとして生まれてくる。しかし、人間は何物にもなり得る可能性を宿した卵として生まれてくるのである。

AIが自律的に動いていないように見えるのはなぜか？

AIが原理的にダイナミックな報酬系を持てないわけではないが、既存のAIは、固定的な一つか二つの目的を持つのみである。

例えばDQNは、ゲームのスコアを増やすこと以外の目的を持たない。それが、言わばDQNの唯一の欲望だ。比喩的に言えば、DQNはゲームのスコアを増やした時にのみ快感を覚える。

DQNが突然、ゲームの得点を増やすという行為を放棄して、ただ画面を眺めていようなどと考えることはあり得ない。しかし、人間ならばそのような態度をとることもある。

人間は森羅万象に快を感じたり不快を感じたりする。あらゆる視覚的、聴覚的、触覚的刺激が快になったり不快になったりする。したがって人間の欲望は、潜在的には無限だ。

人間の報酬系はそれ自体脳の神経系の一部であり、（人工ではなく自然の）ニューラルネットワークで構成されている。それゆえに、あらゆる知覚情報が報酬系に影響を与え得る。

ところが、ＡＩの強化学習そのものはニューラルネットワークに基づいているわけではなく、一つの（あるいはいくつかの）固定的な目的関数を持つにすぎない。深層強化学習にしても同じことであり、報酬系が変化するわけではない。

人間のような生物が自律的に動いており、ＡＩが他律的に動いているように見えるのは、一つには両者にこのような違いがあるからだ。ただし、これは人間と今のＡＩの違いであるにすぎず、人間とＡＩの原理的な違いにはなり得ない。

強化学習の代わりに、ニューラルネットワークから構成される報酬系をＡＩに実装すれば、そのＡＩは人間と同様にダイナミックな報酬系を持つことになる。それがどのようなニューラルネットワークであるかは、今のところ私には分からない。また、そのＡＩの報酬系が人間と同じものになる保証もない。

欲望の多方向性

生物の主目的は種を繁栄させることであり、人間の多様な欲望は繁栄を有利にする生存本能と繁殖本能から副次的に派生したものであると考える学者は少なくない。

もし、そうであれば、囲碁で勝つことを主目的としたアルファ碁が勝つために必要な副次的な目的を自ら生成するのと同様に、人間の様々な欲望の派生過程もコンピュータで再現可能であるかもしれない。

しかし、多様な欲望が種を繁栄させるという主目的から派生してきたといった考えは、「生命が生存と繁殖を目的に進化してきた」という進化論に関する誤った俗説に類似した謬見(びゅうけん)ではなかろうか。

進化に目的などなく、偶然の変異によって多種多様な種が生み出され、そのうち生存と繁殖に不利な機能を持った種は淘汰される傾向にあるというのが、標準的な進化論の見解だ。それゆえに、生物は生存や繁殖に関係のない機能をしばしば持っている。

それと同様に、欲望も元来多方向的であり、生存や繁殖に逆行する欲望を強く持った種は滅んだにすぎず、逆行しない無数の欲望は私たちの心の奥底に潜んでいると考えられる。

それどころか、逆行的な欲望すらも人間という種を滅ぼさない程度には存在している。それは、自殺願望や他殺願望であり、精神分析の創始者であるジグムント・フロイトが「死の欲動」と呼んだものだ。

フロイトは、第一次世界大戦の惨劇に衝撃を受け、死の欲動に関する理論を「快感原則の彼岸」という論文にまとめた。人類は続いて、第二次世界大戦の最中に核兵器を作り出し、自ら種の存続を危うくした。その点を鑑みても、少なくとも人類については、種の繁栄を有利にする欲望を根源に持った生命だとは言えないだろう。

しかしながら逆説的なことだが、そういった死の欲動をも含む多方向的な欲望が、芸術的創作や発明、発見といった文化的活動の原動力になっている。

人間の持つ多方向的な欲望を肯定的に論じたのもドゥルーズ&ガタリ（D&G）であり、彼らはその状態を分裂症と言い表している。一般的に分裂症は、妄想や幻覚、幻聴が現れたり、自分と他人の境界が曖昧になったりする症状で、今日では統合失調症と言われる。D&Gの分裂症は、少々特別な意味を持っており、欲望が多方向に錯綜した状態を表している。そういう意味で、人間は誰しも元来分裂症的であるというのが、D&Gの見立てだ。

分裂症的な錯綜した欲望は、共同体や国家によって抑圧されてきた。原始共同体のルールによる欲望の制御のことをコード化、近代以前の専制国家による制御を超コード化とD&Gは名づけた。資本主義がそういった制御から欲望を解き放つ作用のことは、脱コード化という。

だが、資本主義によっても欲望はアナーキーに広がっていくわけではなく、一つの方向へとその流れを制御される。D&Gは「資本主義国家は、資本の公理系の中で捉えられる限り、このような脱コード化したもろもろの流れの調整者である」[43]などと抽象的に表現しているが、あえて俗的にこう解釈しよう。

近代化によって人々は職業選択や居住、恋愛、婚姻などあらゆる局面での自由を手にして、多様な欲望が解き放たれたかのようだ。だが、同時に欲望は、資本主義経済のただ中で金儲けという一つの方向に収斂させられた。

ただし、その収斂も完全になされているわけではなく、分裂症的な多様な欲望は伏在し続けており、クリエイティヴィティ（創造性）の源泉となったり、人を自殺に導いたりする。「実際、欲望はこれもまた、死をもまた欲望するのである」[44]。

AIに人間のような芸術的創作を行わせるには、死の欲動も含めた多方向的な欲望を抱き得るものにする必要がある。そのためには、ダイナミックな報酬系を実装してやらなければならないだろう。

5 人工知能にとっての感情と意識

クオリアとは何か？

先に、人間に備わる複雑な感性（感覚や感情）を再現することはＡＩにとって難しいと述べた。そもそもコンピュータのような機械は感情を持ち得るだろうか。この問いに答えるにはまず、意識とは何かについて考えておく必要がある。

意識は、気づきとか自己意識とか多様な意味を持つが、本書では意識をクオリア（感覚質）を持ち得る何かとして定義する。クオリアというのは、人が主観的に体験し得る感覚のことをいう。

痛みについて言うと、クオリアというのは痛みの感覚そのものだ。これは、主観的にしか持ち得ないもの、つまり他人からは分からないものだ。例えば、子供が「お腹が痛い」と言って学校を休もうとしている場合に、それが仮病かどうかを親が完璧に判定する手立てはない。

熱があるかどうかは体温計で測れば分かるが、痛いかどうかは本人でなければ究極的には判断不能だ。医者に連れて行って、胃腸に異常がないと診断されても、本当に痛みを感じていることはあり得る。逆に、胃腸に異常があっても、痛みを感じないこともあり得る。

痛みはクオリアとしては分かりやすい部類に入る。「注射針は痛い」という言い方があるが、注射針が痛みを感じているのではなく、人が痛みを感じているということは誰でも知っている。痛みの感覚を作り出しているのは針を刺された皮膚ではなく、脳であることも理解しやすい。

それに対し、色のクオリアは少々厄介だ。私たちは、日常生活の中でリンゴを見た時にその表面が赤く彩られていると思ってしまう。実際には、リンゴから約700ナノメートルの波長の光が目に入ってきて、それが視覚情報として脳で処理される時に赤い色を感じる。

リンゴが赤いのではなく、脳がリンゴの赤みを生み出している。このような赤みが、色のクオリアだ。

痛みだけでなく色や形、すべてのクオリアは限りなく主観的な現象であり、私秘的とも形容される。というのも、私たちは他人のクオリアがどういうものかを確かめる手段がないからだ。

こうしたクオリアの私秘性を感得するための思考実験として、逆転クオリアや哲学的ゾンビといったものがある。

逆転クオリアと哲学的ゾンビ

逆転クオリアでは、赤色の光を見た時に緑色のクオリアを生じさせ、緑色の光を見た時に赤色のクオリアを生じさせる人、Aさんを想定する。

Aさんをもう少し正確にいうと、普通の人には赤色のクオリアを生じさせる波長の光を目に入れた時に緑色のクオリアを生じさせ、普通の人には緑色のクオリアを生じさせる波長の光を目に入れた時に赤色のクオリアを生じさせる人である。このようなAさんが存在していたとしても、本人も他人もこの逆転に気づかないし、何の不都合も起きない。私たちは他人のクオリアを経験する方法がないからだ。

Aさんは、リンゴを見て緑色のクオリアを生じさせているにもかかわらず「リンゴは赤い」と言うはずである。なぜなら、他の人に赤のクオリアを生じさせるもの（したがってAさんには緑のクオリアを生じさせるもの）に対して、「これは赤である」と教えられて育っているからだ。

イチゴや赤いバラを見ても、緑色のクオリアを生じさせつつ、「イチゴは赤い」「こないにもかかわらず、「リンゴは赤い」などと言う人を想定することもできる。

さらに思考を進めると、森羅万象の何を見てもいかなる感覚もいかなる感慨も抱かないにもかかわらず、普通の人と全く同じように振る舞う、Bさんの存在を仮構することもできる。

このようなBさんが哲学的ゾンビであり、これはオーストラリアの哲学者デイヴィッド・チャーマーズによって考案された思考実験だ。

哲学的ゾンビは、細胞の一つひとつの構造に至るまで、物理的には全く人間と同じである。にもかかわらず、意識を持っておらずクオリアを生じさせることがない。

ゾンビという言葉から、無表情であるとか喋らないといったイメージを思い浮かべないでほしい。哲学的ゾンビは、普通の人間と全く同じように笑ったり怒ったり泣いたりする。それにもかかわらず、いかなる楽しみも怒りも悲しみも感じないような人間なのである。

したがって、私たちは他人が普通の人間なのか哲学的ゾンビなのかを区別することができない。クオリアが私秘的だからこそ、このような区別立てができないのである。人間と全く同じように振る舞えるロボットは、広い意味で哲学的ゾンビと言えるだろう。細胞は持たず、金属とシリコンでできているかもしれないが、見た目の振る舞いは人間と同じだ。

ここから分かることは、人間と同じように振る舞えるロボットを作るにあたって、クオリアは必要ないということである。クオリアには機能がないので、あってもなくても振る舞いには影響しない。

クオリアにまつわる誤解

クオリアとは何かについて、多くの誤解が蔓延している。それらの誤解を解くために、クオリアに関して以下のことが成り立つことを確認しよう。

(1) クオリアには機能がない
(2) 自分のクオリアが存在することは自明だ
(3) 他者のクオリアを直接観測することはできない
(4) クオリアは物理世界には存在しない
(5) 知覚データはクオリアではない

哲学的ゾンビの思考実験からも分かるように、クオリアには機能がない。哲学的ゾンビは、人間のように、針で刺せば痛がるし、冗談を投げかければ笑う。機能的には完全に生身の人間と等価なのであり、見かけ上、人間とゾンビを区別することはできない。

それゆえ、機械にクオリアがないことは、機械が人間のように振る舞えないことを意味しない。クオリアを持つことは、人間を有利にはしない。日常生活を送るのにも芸術活動を行うのにも、クオリアは必要ない。クオリアは何の役にも立たないとはいうものの、クオリアに機能がないことは、クオリアが存在しないことと等価ではない。世の中には、クオリアの存在そのものを否定する人もかなりいる。だが、自分のクオリアが存在することと以上に私たちにとって自明なことはない。

詩人、金子光晴には

けふまでのわしの一生が、そっくり騙されてゐたとしてもこの夕栄のうつくしさ

——金子光晴『非情』[45]

という詩がある。現実と思っていた何もかもがすべて虚構だったとしても、今感じている美しさの感覚そのものは否定しようもない。

あるいは、中国の古典『荘子』にある「胡蝶の夢」の逸話のように、今の自分の人生は蝶が見ている夢なのかもしれない。たとえ、そうであったとしても、自分が今感じている悲しみとか喜びの感覚は否定しようもない。

現代風にいうと、現実世界と思っているこの世界が、本当は異世界人が作ったＶＲであったとしても、そのＶＲによって生じている自分のクオリアの存在だけは疑いようがないということになる。

クオリアが存在しないということは、「人間は針で刺されたら痛がるけれど、本当は痛みを感じてはいない」と言っているのと同じで、サイコパス的なかなり危険な考えだ。すべての人々は哲学的ゾンビにすぎないと言っているようなものだ。

とはいうものの、他者にクオリアがあるかどうかの確証はない。私以外のすべての人々は、哲学的ゾンビかもしれないし、そうでないかもしれない。確証はないが、私も含めて多くの人々は他者にも痛みがあるとただ信じている。

科学的な器具を使ってクオリアそのものを直接観測できるかと言ったら、それは不可能だ。クオリアは物理世界には存在しない。いくら脳の中を分け入っても、クオリアは見出されない。

視覚神経は、リンゴの視覚データを脳に伝達させている。しかし、そのような視覚データはクオリアではない。聴覚データや味覚データにしても同じことであり、知覚データはクオリアではない。視覚データをいくらこねくり回しても、私たちが感じているリンゴの赤みのクオリアは取り出せない。ただ、そのような視覚データが脳において赤みのクオリアを生じさせる役割を果たしているということは可能だ。

感情の機能的な面と現象的な面

感情には、機能的な面と現象的な面がある。人を好きになった時のそぶりは好きの機能であり、好きになった時の心躍るような気持ちそのもの、つまりクオリアは、好きの現象である。

機能的な面では、技術の進歩によっていくらでもAIを人間に近づけられるだろう。前述した通り、今でもペッパーは感情生成エンジンを持っている。

欲望についても、感情と同様に考えることができる。欲望にも、機能面と現象面があって、機能面の欲望をAI・ロボットに持たせることは難しくない。

大阪大学の石黒浩教授と言えば、タレントのマツコ・デラックス氏に似たロボット、マツコロイドの製作監修者として広く知られている。石黒教授が開発した別のロボット、エリカは、褒められたい、休みたいという二つの欲望を持っている。しかし、渇望感のようなクオリアをロボットに持たせることはできない。ペッパーやエリカがどんなに進化しても渇望感は持ち得ない。ただそれは、機能面でロボットが人間に対して劣勢になることを意味しない。

それゆえ、「生命には欲望があるが機械には欲望がないので、生命のように振る舞える機械は存在し得ない」と考えることはできない。「人間には感情があるが機械には感情がないので、人間のように振る舞える機械は存在し得ない」と言うこともできない。

ＡＩは、感情や欲望のクオリアを持つことが原理的にできないが、感情や欲望の機能を持つことはできる。ところが、人間と何もかも全く同じような感情や欲望の機能を持つことは実際上難しい。

脳のすべての感性的な働きを完コピ（完全にコピー）して、コンピュータ上に再現できるかというと、今の技術の延長上では不可能に近いからだ。

脳に学んで人間並みのＡＩを作ろうとする現在の試みのすべてが、還元的（分解的）なアプローチである。だが、還元主義を拒むのが人間の脳の神経系だ。別の言い方をすれば、ツリー的な思考によってリゾームシステムを解明し尽くすのは不可能に近い。

6　汎用人工知能は実現可能か

特化型人工知能と汎用人工知能

既存のAIはすべて特化型AIであり、汎用AIではない。特化型AIは、一つあるいはいくつかの特定のタスクしかこなすことができないAIだ。Siriは人間の音声に応じてスマホを操作するだけであり、アルファ碁は囲碁を打つだけである。Siriは囲碁を打つことができないし、アルファ碁はスマホを操作することができない。

それに対し、人間は汎用的な知性を持っている。一人の人間が潜在的には、囲碁を打てるし、スマホを操作できる、人と会話ができれば、事務作業もこなし得る。

DQNは、簡単なゲームに限定すれば、汎用性を有していることになる。ところが、人間並みに汎用性のあるAIはまだこの世に存在していない。

汎用AIとは、人間並みの汎用的な知性を持ったAIだ。このようなAIがロボットに組み込まれれば、鉄腕アトムやドラえもんのようになるだろう。人と会話をしたり遊んだり、様々なタスクをこなせるようになる。

シンボルグラウンディング問題を解消したりフレーム問題をすり抜けたりすることができれば、汎用AIの実現性はかなり高くなる。

数年前から汎用AIの世界的な開発競争が始まっており、既にいくつものプロジェクトが存在する。アルファ碁を開発したディープマインド社も囲碁のチャンピオンを打ち負かしてそれで満足しているわけではなく、その先に夢見ているのは汎用AIの実現だ。

各プロジェクトにはそれぞれアプローチに違いがある。図2・9では、縦に「脳模倣的―工学設計的」という軸をとっている。脳模倣的アプローチでは人間の脳を参考にし、工学設計的アプローチでは人間が自ら設計して汎用AIを実現しようとする。

横に「大脳新皮質―全脳」の軸をとっている。これは、大脳新皮質に相当する機能だけを再現するのか、脳のあらゆる機能を再現するのかという違いだ。人間の脳は大脳新皮質、大脳辺縁系、小脳の三つに大きく分けられ、全脳とはこれらすべてのこと

図2・9 汎用AIの研究開発プロジェクト

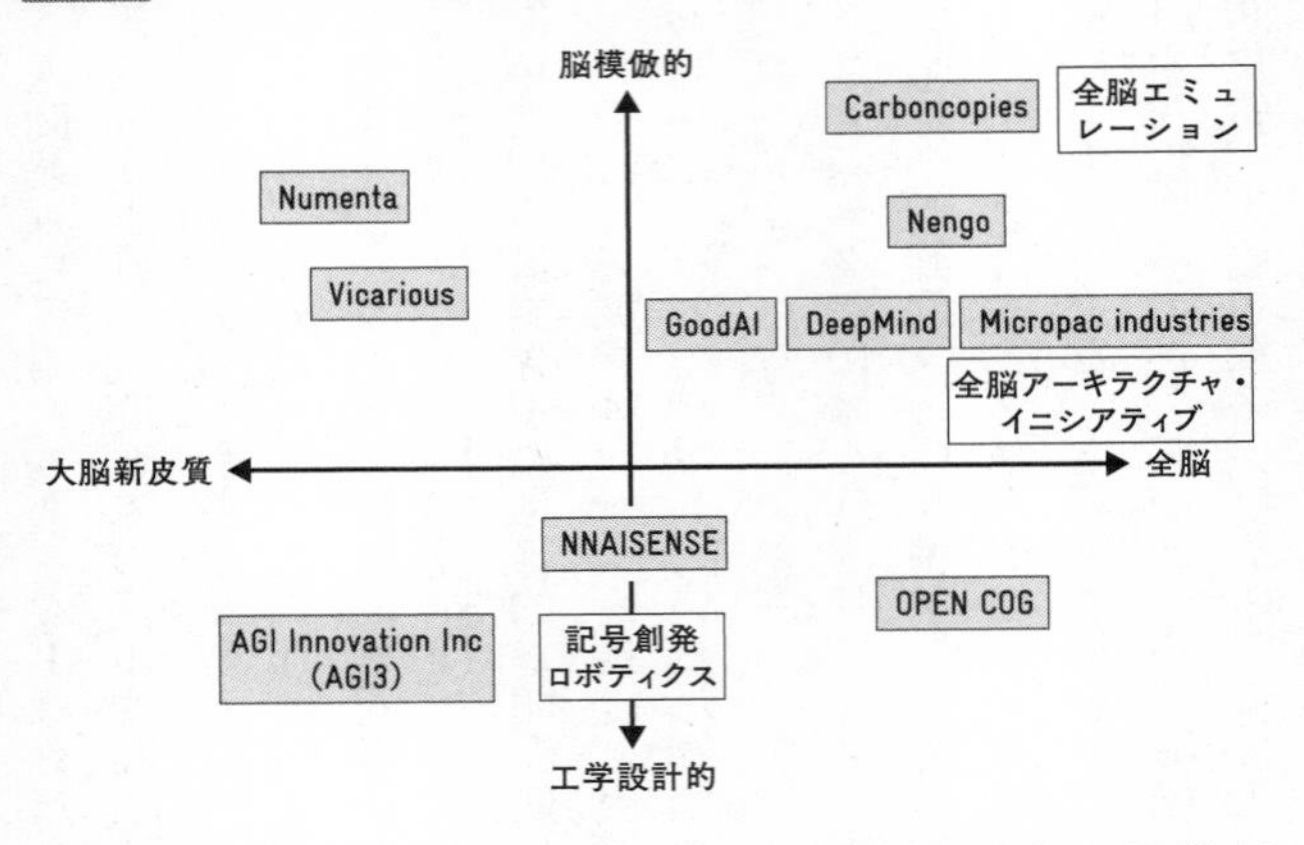

出所：全脳アーキテクチャ・イニシアティブ代表山川宏氏の作成した図に基づく

である。

脳の表面部分である大脳新皮質は、理性や合理的判断、論理的思考、言語などをつかさどっており、人間において他の動物と比べて極度に発達している脳の部位だ。

シリコンバレーの起業家ジェフ・ホーキンスは、大脳新皮質こそが知性の源だと主張しており、ホーキンス率いるヌメンタ社は、大脳新皮質のみを再現して汎用ＡＩを実現しようとしている。したがって、ヌメンタ社は図の一番左側に位置している。

それに対して、日本の非営利団体である全脳アーキテクチャ・イニシアティブは最も右側に位置している。同団体は、感情や動機をつかさどっている大脳辺縁系の機能も人間の重要な知性の一部であり、脳のあらゆる部位を再現すべきだという立場をとっている。

全脳アーキテクチャと全脳エミュレーション

脳を真似てAIを作る方法は大きく二つに分けられる。脳の機能を設計的に再現するリバースエンジニアリングと、脳の神経系をまるまる機械的にコピーしてソフトウェアとして再現するエミュレーションだ。

全脳アーキテクチャとは全脳を対象としたリバースエンジニアリングであり、全脳を対象としたエミュレーションは全脳エミュレーションという。全脳を再現する既存のプロジェクトはすべて、基本的にはリバースエンジニアリングだ。

全脳エミュレーションが、他の汎用AIを実現する方法と比べて際立っているのは、人間の知性一般を再現するのではなく、特定の個人の脳を再現するものだという点である。

全脳アーキテクチャであれば、誰にも備わる大脳新皮質や大脳辺縁系の機能を再現する。特定の人間の脳を真似るわけではない。それに対し、全脳エミュレーションで

レイ・カーツワイル　Ray Kurzweil (1948-)
現代のアメリカの発明家で、シンセサイザーやOCR、スキャナーなどを開発した。未来予測家でもあり、シンギュラリティを提唱している（©AP／アフロ）

は、誰か特定の人間の脳をコピーする。その結果、個人の人格や記憶もコンピュータ上のソフトウェアとしてコピーされる可能性がある。

それによって意識がコンピュータ上に移し入れられるという考えがあり、そのような意識の移動をマインド・アップローディング（アップロード）という。アメリカの著名な発明家レイ・カーツワイルが『シンギュラリティは近い』（NHK出版）で紹介して、世界的に知られるようになった技術だ。

もちろんそんな技術は今のところ存在しないし、私は未来にも出現することはないと踏んでいる。全脳エミュレーションが可能となり、私の脳の神経系がソフトウェアとして完全に再現されたところで、双子のようなコピーができるだけであって、私の意識がそちらに移ったことにはならないのではないか。

全脳エミュレーションそのものが原理的に不可能というわけではない。今のところ、全脳エミュレーションによる汎用AIの実現を目標として掲げているプロジェクトは存在しないが、ヒト・コネクトームを手に入れることができれば、全脳エミュレーションは可能になるだろう。コネクトーム（神経回路地図）とは、神経系のネットワーク構造を表した図面のようなものだ。

人間の脳にはニューロンが1000億ほどあり、ニューロンどうしのつながりであるシナプスが100兆ほどある。それらの構造のすべてを表した図面が、ヒト・コネクトームだ。

人類は、C・エレガンスという線虫の神経系のコネクトームならば既に手に入れている。優雅な名前の付けられたこの生き物に備わる302個のニューロンと6393個のシナプスから成る神経系の構造のすべてが解明されているのである。

ヒト・コネクトームを手に入れるまでにはかなりの時間が掛かりそうだ。C・エレガンスのコネクトームに比べたら、ヒト・コネクトームは文字通りけたが違い過ぎるからだ。

プリンストン大学教授でコネクトームの第一人者であるセバスチャン・スンは、ヒト・コネクトームを人類が手に入れるのは今世紀末だと予想している。そうだとすると、全脳エミュレーションが可能になるのはそのもう少し後、来世紀初めくらいということになる。

100年後、生身の人間は世界の片隅でひっそりと暮らす

アメリカの社会科学者ロビン・ハンソンも『全脳エミュレーションの時代』(NTT出版)で、その時代が到来するのは100年ほど後だと予想している。この著作では、全脳エミュレーションによって誰か特定の人間の脳をコピーして作られたソフトウェアは、エム(エミュレーションの略)と呼ばれている。エムは、コンピュータ上で動作する知能体なのでAIの一種だ。

ただ、これはAIと言いながらも、自然知能たる人間の脳を完全にエミュレートしたものであり、人為的に設計して作成したものではないので自然知能と呼んでもいいくらいだ。

エムには、個人の人格や記憶もコンピュータ上のソフトウェアとしてコピーされている。したがって、エムは法によって基本的人権が保証されなければならない存在

だ。

『全脳エミュレーションの時代』のテーマは、人間ではなくエムがこの時代にどのように暮らし、どのような社会を形成するのかを明らかにすることである。100年後のその時代に、生身の肉体を持った人間は、世界の片隅でひっそりと引退生活を送っている。エムこそが世界の中心に君臨しているという。

その主な活動の場は、都市部に屹立する高層ビルに収納された無数のコンピュータの中だ。エムの一部はロボットの頭脳部分として組み込まれ、実空間で生活を営むが、エムのほとんどはコンピュータ上のヴァーチャル空間の中で、仕事をしたり、恋をしたり、スポーツを楽しんだりする。

エムは人間のような身体を持たないので、基本的には暑さや寒さ、痛み、空腹を感じない。その一方で、喜びや悲しみ、不安などの感情は持つようだ。恋人や友人、上司といった人間関係も存在する。

その辺りは今の人間と変わらず、意外にも一日の長い時間を労働に費やしている。コンピュータの稼働に必要な冷却装置や通信回線のサポート、エネルギーなどに多額の費用が掛かるからだ。

エムは生殖のためのセックスを必要としない。ソフトウェアであるから、私たちがファイルのコピーを行うように、簡単に増殖させることができる。『全脳エミュレーションの時代』では、エムのビジネスや組織から死に至るまで、その暮らしぶりや社会がどのようなものであるのかが事細かに描写されている。ただし、そのありさまは1、2年しか続かないらしい。

ヴァーチャル空間は超早回しで時間が進んでおり、実空間の1、2年が、エムの主観的な時間の1000年くらいに相当するからだ。その後どのような社会へ変貌を遂げるのかは、当のハンソンにすら見通すことができないという。

SFとかトンデモ本のたぐいだと思われただろうか。これはれっきとした未来予測で、私たちのひ孫くらいの子孫がデジタル化された超知能体として生活するのは、どうやらほとんど既定路線であるらしい。

ハンソンは、物理学と哲学の修士号を持ち、社会科学の博士号を持った博覧強記の天才だ。そして、彼の描く未来のシナリオは単なる夢想や思いつきではなく、計算機科学、脳科学、心理学、社会学といった様々な領域の膨大な文献を踏まえた学術的な論拠を持った予想だ。

それゆえ、この著作は出版直後に、「ウォール・ストリート・ジャーナル」や「フィナンシャルタイムズ」といった一流の経済紙の書評で高く評価された。

正直いうと、私はハンソンの描く未来社会が到来するとの実感が得られないし、そのような未来社会を望ましいとも思っていない。私の感性が古いのかもしれないが、私たちのひ孫の世代が私たち同様の肉体を持っていないことをなぜだか遺憾に感じる。

デジタル化された超知能体のエムたちが、幸せに暮らしているとするならば、それほど嘆くこともないかもしれない。だが、そんなヴァーチャル世界の住人たちに共感を抱くことは難しいし、そんな未来社会に関する議論をこれ以上深めたいという気持ちも湧き起こらない。

そもそも、エムたちは喜びや悲しみのクオリアを持たないのではないかと私は疑っている。喜びや悲しみの機能を持つだけの哲学的ゾンビではないのだろうか。

意識がないにもかかわらず、人間そっくりの感情があるかのように振る舞えるAIをゾンビAIという。私がエムたちに共感を抱けないのは、彼らをゾンビAIと見なしているからかもしれない。

リゾームシステムのツリー的理解は可能か？

全脳エミュレーションの実現が100年後の未来だとすると、当面汎用AIの実現方法として有力なのは全脳アーキテクチャのようなリバースエンジニアリングだ。リバースエンジニアリングは、システムを要素に分解して、要素の模造品を作ってそれらを組み立てるツリー的なアプローチだ。ただし、全脳アーキテクチャでは、要素についてはリゾームシステムであるニューラルネットワーク（ディープラーニング）をベースに構築しようとしている。

それに対し、20世紀のAI研究は、あらゆる人間の思考をツリーシステムとして再現しようとしていた。先に取り上げた意味ネットワークは、典型的なツリー構造を成している。動物が爬虫類や哺乳類に分岐し、哺乳類がさらに猫や人間に分岐していく。

意味ネットワークや探索木など20世紀のAI技術はツリー的思考の産物であり、人間の形式知を再現したものだ。人間が暗黙知を使って直感的に解いている問題も、AIに形式知を与えて解かせているので、おのずと人間の実際の思考と異なっている。

アメリカの哲学者で言語学者のノーム・チョムスキーが考案した生成文法という言語理論では、"This is a pen"は図2・10のように表され、これもまた見事なまでにツリー構造を成している。

生成文法を用いれば、文をツリー状に解析することができ、自然言語処理に役立てることができる。実際、20世紀にはこのような自然言語処理がAI研究者の間に流行していた。

だが、人間は母国語を習得する際には、図2・10のようなツリー構造を意識しているわけではない。特に発話の際には、暗黙知に基づいて言葉をつむいでいるのである。

チョムスキーの生成文法は、『千のプラトー』でツリーの典型例として繰り返しやり玉に挙げられている。

ノーム・チョムスキー
Avram Noam Chomsky（1928-）
現代アメリカの言語学者で思想家。生成文法の理論を提唱した
（©Alamy／PPS通信社）

チョムスキーの文法性、あらゆる文を支配するカテゴリー的シンボルとしてのS（sentence の頭文字）は、統辞法の標識である以前に権力標識である

こうして人は樹木、あるいは根——直根ないしひげ根という表象的モデルか

図2・10 生成文法

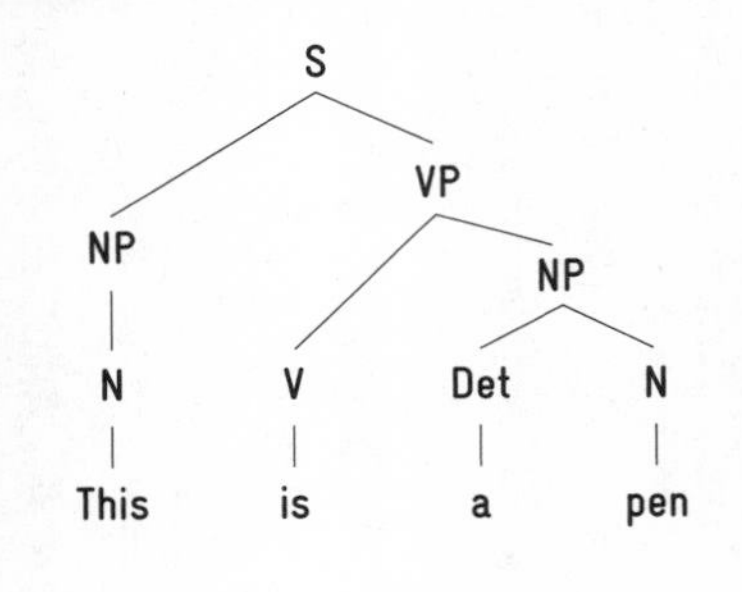

S（Sentence）	文
NP（Noun Phrase）	名詞句
VP（Verb Phrase）	動詞句
N（Noun）	名詞
V（Verb）	動詞
Det（Determiner）	限定詞

出所：筆者作成

ら一歩も出ていないのだ。（例えばチョムスキー的な「樹」がそうで、基礎のつながりに結び付けられ、二元論的論理にしたがってみずからの産出の過程を表象している。）実に古めかしい思考の変種にすぎない ――ドゥルーズ&ガタリ『千のプラトー』[46]

「分けることとは分かること」という言葉があるが、人間はツリー上の思考によって物事を分けて理解する。それゆえ、リゾームシステムである人間の脳の神経系は人間自身の理解を拒んでいる。

ニューロンをユニットに置き換えて、シナプスをリンクに置き換え、神経系の局所的な構造を真似たニューラルネットワークを構築することができる。だが、ディープラーニングのような複雑なニューラルネットワークは、人間の脳の神経系のどこかの部位とそっくり同じなわけではない。

そして、人間が作ったはずのディープラーニングも最近では人間の理解を超えており、ブラックボックス化とか黒魔術化とか言われている。例えば、アルファ碁がなぜその場所に碁石を置くことを決定したのか人間にはもはや分からない。

全脳アーキテクチャは、全脳エミュレーションとは違って、ヒト・コネクトームを手に入れることよりも、脳の機能を真似ることに重きが置かれている。海馬、大脳基底核、大脳新皮質などの脳の各部位ごとの機能を「機械学習器」として再現し、結合する方法をとる。

要するにリバースエンジニアリングであり、ツリー的アプローチである。脳の中の海馬や大脳基底核などの各部位が独立的に機能しているならば、脳はモジュールに分けられ分解可能ということになる。脳というシステムの分解可能性が高いのか低いのかは、まだ決着のついていない問題だ。

ただし、脳がそのような意味で分解可能であったとしても、海馬、大脳基底核といった各モジュール内では相互作用が多く、複雑なリゾームシステムを成している。それゆえ、各モジュールの主要な機能をリバースエンジニアリングによってAIとして再現することは可能であったとしても、機能のすべてを再現することは不可能だ。

東京近郊には地下鉄の駅が215個あり、駅と駅をつなぐ線路が268本走っている。この程度の鉄道網でも、地方出身者が上京してから、アプリなしに迷わず利用できるようになるまでに数カ月から数年の時間を要するだろう。

1000億の駅と100兆の線路を思い浮かべてほしい。鉄道ファンが何百人集まったところで、このような複雑な鉄道網の完全な路線図を描くことはできないだろう。手作業ではなく機械によって自動的に生成する仕組みがなければ、完全な路線図を作るのは不可能だ。

コネクトームにしても同じことである。約1000億のニューロンと約100兆のシナプスから成る脳の神経系の完全な配置図を手作業で作るのは不可能だ。生命の振る舞いをそっくり再現するには、その神経系を自動的な仕組みで完コピするしかない。

機械にクオリアはないが、生命にはある。ただし、クオリアは機能を持たず、振る舞いにおける生命の優位性を保証しない。人間を含めたいかなる生命にも自由意思はなく、その点は機械と同様である。

脳は機能的には複雑な機械にすぎないが、人間の作る多くの機械と違って、ツリーシステムではなくリゾームシステムだ。人間はニューラルネットワークというリゾーム状の機械を作ることもできるが、これがある程度複雑になると人間の理解を超えてしまう。

ニューラルネットワークは局所的には脳の神経系の構造に似ているが、一人の人間の脳と全く同じ機能を果たすニューラルネットワークを設計的に構築することは不可能だ。

人間並みのAIを作ることが原理的にできないと主張する者の多くは恐らく、「機械論」と「還元主義」を混同している。「機械論」は、物体や自然現象を因果的な決定に従っていると見なす。「還元主義」は、物体や自然現象について、時計を部品に分解するかのように要素に還元して理解しようとする。

人間の脳が、因果的な決定に従っている複雑な機械であったとしても、それを時計のように分解的に理解することにも、部品を組み立てて再現することにも限界がある。逆にいうと、そうした限界の存在は、人間そっくりのAIの開発が原理的に不可能ということを意味しない。

人間に備わるすべての感性や悟性をコンピュータ上に再現できる技術があるとするならば、全脳エミュレーションかそれに類する技術だけであろう。全脳エミュレーションは、人間の理解を必要としていない。ただ、機械任せにして自動的にコピーする

例	可能なこと
ニューラルネットワーク	知覚の獲得
ヌメンタ	大脳新皮質の主要な機能の再現
全脳アーキテクチャ	全脳の主要な機能の再現
	全脳の完全な再現(人格のおよその再現)
	人格の完全な再現
	クオリアの獲得

出所:筆者作成

だけだ。

全脳アーキテクチャは、脳の完コピではなく、脳の主要な機能を再現するに留まる。それゆえに、全脳アーキテクチャアプローチによる汎用AIが、人間と同様の感性的あるいは悟性的な創作活動をすることは難しい。

ただし、それは全脳アーキテクチャの欠点ではない。クリエイティヴィティやホスピタリティ(もてなし)などに関わる仕事が、人間に残されるからだ。次章でその点について詳しく論じる。

生体模倣レベル

表2・1では、「生体を模倣して心の働きを再現する技術のレベル」(生体模倣レベル)を5段階に分けている。現在のAIは、脳の

表2・1　生体模倣レベル

レベル	
1：神経系の局所的な模倣	
2：リバースエンジニアリング	2-a：大脳新皮質のリバースエンジニアリング
	2-b：全脳のリバースエンジニアリング
3：全脳エミュレーション	3-a：神経系レベルの全脳エミュレーション
	3-b：原子レベルの全脳エミュレーション
4：全身エミュレーション	4-a：細胞レベルの全身エミュレーション
	4-b：原子レベルの全身エミュレーション
5：全身レプリケーション	

神経系を局所的に真似たニューラルネットワークという技術によって、人間の視覚や聴覚にあたる機能を獲得している。これがレベル1だ。

レベル２以上はまだ実現していない。脳を分解してその機能を理解して設計的に人間に似たＡＩを実現する試みが、脳のリバースエンジニアリングである。全脳に関してそれを実施しても、人間をぎこちなく真似る程度のＡＩは作れるが、人間の知的振る舞いを完全に再現することはできない。

人間の知的振る舞いをほぼ完全に再現できるのは、神経系レベルの全脳エミュレーションであろう。ただし、感情面ではドーパミンやアドレナリンなどの脳内ホルモンの働きが重要なので、ある人間の人格をおよそ再現するには、原子レベルの全脳エミュレーションが必要かもしれない。

さらにいうと、身体が心に及ぼす影響もあるので、全脳をエミュレートしてもなお完全ではない。原子レベルで全身をエミュレートしなければ、人格の完全な再現は不可能だと考えられる。

エミュレーションはコンピュータ上の生体の忠実なシミュレーションにすぎない。もし、クオリアが身体(脳)の物質性に依拠するとするならば、人間と同じ生体を物質的に作り上げなければ、クオリアは生じ得ない。それを、全身のレプリケーションと呼ぶことにしよう。

ここまでくると、AIどころかコンピュータサイエンスではなくなり、バイオテクノロジーの範疇となる。近世ヨーロッパの錬金術師は、ホムンクルスという人造人間を作ろうとしていた。全身のレプリケーションは、バイオテクノロジーによってホムンクルスを作るような試みである。

人間並みのAIを作ることは、原理的に不可能だと考える人は少なくない。そんな人は、生体模倣のどのレベルによって、人間並みのAIが実現するのかを検討してみてほしい。レベル4に至っても実現しないならば、確かに人間並みのAIを作るのは不可能ということになる。

また、どの時点で意識が宿るのか、つまりクオリアを生じさせるのかも人によって意見が異なるだろう。私はクオリアは脳の物質性に依拠していると考えている。にもかかわらず、クオリアは物理世界には存在しないし、直接観測することもできない。クオリアは今のところ矛盾に引き裂かれた存在である。

7 神が死んだように人間も死ぬのか

自我は虚構のようにして存在する

脳の中をいくら分け入っていっても、クオリアが存在しないのと同様に、全体を統御する中枢も見当たらない。脳は、全体としてリゾームシステムを成していて、軍における司令部のような部位を持たないのである。

それにもかかわらず、私たちは心の中枢たる自我が主体的に意思決定を行い、心身全体を統御しているかのように見なしている。脳がリゾームシステムであるにもかかわらず、私たちは心をまるでツリーシステムであるかのように錯覚している。

要するに、自我は虚構（仮象）のようにして存在しているのである。虚構といっても、全く存在しないわけではない。国家や法律と同様にそれは確かに存在するが、人間があると見なしているから存在するのであって、物質性を伴って存在しているわけではない。

デカルトは世界を精神と物体に分け、精神の「自由意思」の存在を肯定した。この場合の自由意思というのは、物理法則に従わないような人間の意思を意味する。デカルトによれば、人間の脳の奥にある松果体という器官が精神と物理世界を連絡している。松果体は人間にしか存在せず、人間のみが精神を持ち得る。

また、精神は物体ではないので、物理法則に支配されずに思考し自由に意思決定できるというわけだ。一方、動物は精神を持たないので機械的であり、また物理世界は機械的に動いている。

今の科学的常識からすると、松果体はメラトニンというホルモンを分泌する役割を担っているだけであり、哲学的な意味のあるものではない。人間の独占物でもなく、他の脊椎動物の脳内にも見られるありふれた器官にすぎない。

とはいうものの、松果体が連絡係を果たしているかどうかは重要な問題ではない。

心身に関するデカルトの主張のエッセンスを抜き出すと、図2・11のようになる（デカルトがクオリアという言葉を使ったわけではない）。

要するに、物理世界から遊離した精神の中で、クオリアが生じるばかりでなく、思考や意思決定がなされているという点が重要なのである。

図2・11　デカルトの心身論のエッセンス

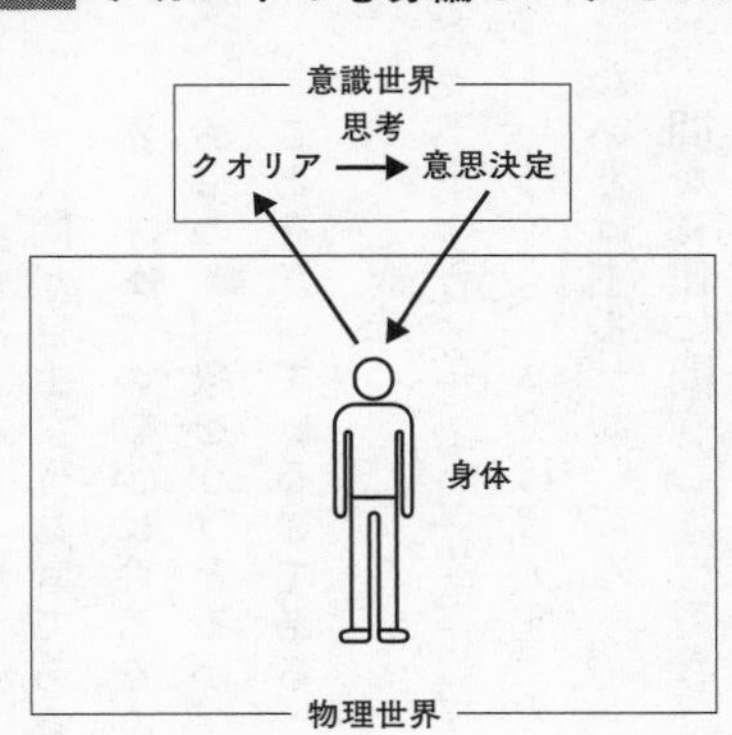

出所：筆者作成

心身問題に関するこのような見解は、精神と身体を別々の本質を持つ実体として捉えることから心身二元論という。デカルトの心身二元論によれば、人間の意思決定は物理法則から逃れられていることになる。

人間が自由意思を持つという考えは、心身二元論を前提にしており、近世以降のヨーロッパでは支配的となっていた。例えばルソーは、デカルト同様に動物を「精密な機械」と見なしたうえでこう述べている。

人間が自由な行為者であるという特質こそが、動物と違うところである。自然はすべての動物に命令をくだし、獣はこの命令にしたがう。人間も［自然の命令の］印象をうけとるが、その命令にしたがうか、抵抗するかは自由であることを知っているのである

――ルソー『人間不平等起源論』[47]

私たちも少なくとも日常的には人間に自由意思があるかのように見なすことが多い。というのも、例えば殺人犯に対し、物理法則に従っただけだから刑罰を下すべきではないとは主張しないだろう。ところが、脳科学者の中には自由意思を否定し、もはや人間を責任に問うことはできないと考える者も出てきている。

科学革命によって神は死んだ

ユヴァル・ノア・ハラリは『ホモ・デウス』において、人類は農耕を始めたことによって、狩猟採集時代のアニミズムを捨て去り有神論を採用するようになったと指摘している。

アニミズムは、大地や森、動物など森羅万象に霊魂が宿っているとする信仰だ。有神論は、地上で霊魂を宿しているのは人間のみであり、神聖で絶対的なのは天上の神（神々）だけだとする宗教である。

> 動物には魂がないので、動物はただのエキストラにすぎない
>
> 有神論の宗教の世界では、人間以外の存在はすべて黙らされてしまった。したがって、人間はもう木や動物と話すことができなかった
>
> ――ハラリ『ホモ・デウス』[48]

ところが、17世紀に科学革命が起きると人類は神々まで黙らせてしまった。ニーチェが言ったように「神は死んだ」のである。「星は神の住処ではなく、宇宙は空っぽな空間だとガリレイとケプラーが発見した17世紀、ヨーロッパの人々は精神的な苦悩に苛まれた」[49]。

神という絶対的価値基準を失い、人間は寄る辺ない身になった。ヨーロッパは虚無主義（ニヒリズム）に陥りかけたが、その虚無を埋め合わせたのは人間至上主義だ。人間の興味の対象は、「彼岸（ひがん）」（あの世）から「此岸（しがん）」（この世）に移り、精神から物

質に移った。人間自身がより豊かに幸福になることが目指され、そのような社会へ変革する力を持った人間自身が神の代わりに称えられるようになった。

こうした人間至上主義の時代に、森羅万象が科学の対象として分析されたが、人間だけは神聖な魂によって自由な意思決定を行う唯一の例外的な存在に祭り上げられていた。「自由の意識において、人間の魂の霊性があらわになる」[50]と見なされていたのである。

ところが、近年の神経科学とITの発達によって、人間の知的振る舞いは脳内の電気化学的プロセスに応じたアルゴリズムの作動にすぎないのではないかと考えられるようになり、人間の精神から霊性が剝奪された。

20世紀に科学者がサピエンスのブラックボックスを開けると、魂も自由意志も「自己」も見つからず、遺伝子とホルモンとニューロンがあるばかりで、それらはその他の現実の現象を支配するのと同じ物理と化学の法則に従っていた[51]

――ハラリ『ホモ・デウス』

人間の脳とコンピュータは、アルゴリズムに従って作動するという意味で本質的な違いはないとハラリは言っているし、私もそう考えている。

そもそも、科学が今ほど進んでいなかった時代から、一部の哲学者は自由意思の存在を否定してきた。17世紀オランダの哲学者スピノザによれば、人間が何かの意思を持つにしても、それには原因があって、原因にもまた原因があるので、結局人間の意思は因果の無限の連鎖に連なっているにすぎない。

この連鎖をずっと遡行していけば、いつかは遺伝か環境という私たちの精神の外部に行き着いてしまう。私たちのすべての振る舞いは、遺伝か環境によって決定されるか、さもなければ偶然によって決定される。

生命の振る舞いは確かに意外性に富んでいて予測ができず、人間であればなおさらのことだ。そうではあるが、アルファ碁のようなAIが次にどんな手を打ってくるかも予測できない。

だからこそ、人間はチャンピオンですら囲碁AIに打ち負かされてしまう。囲碁AIがプログラミングされた通りにしか振る舞えないのと同様に、人間も遺伝と環境によって決定された通りにしか振る舞えない。

神経科学やITに依拠しなくても、理詰めで考えれば自由意思が存在しないのは明らかだ。自由意思は存在しないが、それでも私たちは意思決定を行う。意思決定は、脳という中枢なきシステムによって執り行われる。

そうだとすると、図2・12にあるように、思考や意思決定は物理世界に属しており、ただクオリアを生じさせる意識だけが物理世界から遊離していることになる。そして意識は物理世界の決定に関与することはできない。

このような考え方は、随伴現象説と呼ばれている。物理世界だけで因果関係は閉じており、意識は物理世界に影響を及ぼすことができず、ただ脳の物理的状態に随伴してクオリアを生じさせているだけだという説だ。

図2・12　随伴現象説

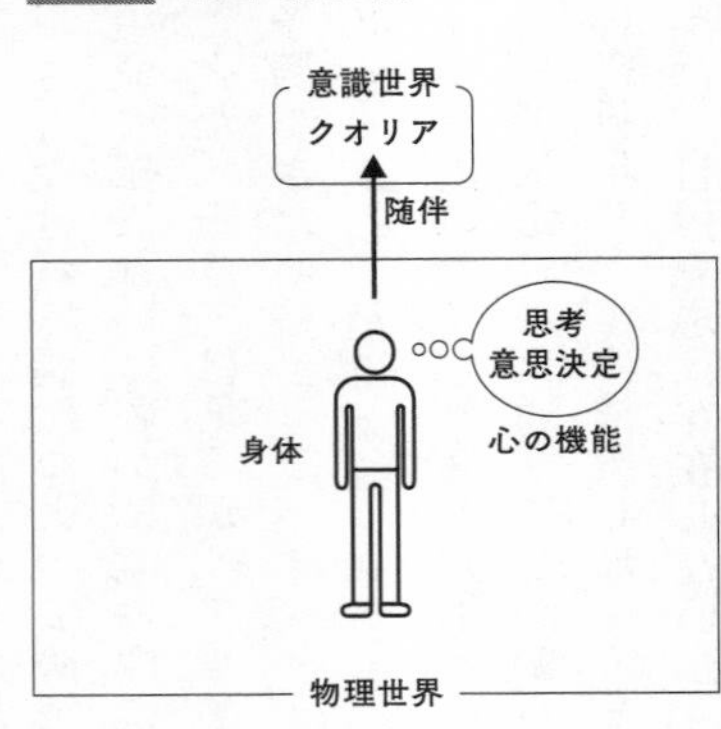

出所：筆者作成

人間は波打ち際の砂の表情のように消滅する

ハラリは、科学の対象とする範囲が脳内にも及んできて、自由意思説が成立し得なくなったことを、ショッキングな事件として論じている。私はスピノザのようにもとより自由意思など存在しないと考えていたので、そのこと自体には何の衝撃も受けていない。

そして、自己責任論が他の先進国よりも力を持っている今の日本では、自由意思説が否定された方が人々はより解放的かつ幸福に暮らせるようになるのではないかと想像している。

ギャンブル中毒者や薬物中毒者を堕落した者としてさげすむよりも、救済や支援を必要とする弱者として温かく接することができるようになるからだ。

とはいうものの、自由意思が存在しないからといって、刑罰を廃止すべきだという結論には必ずしも至らない。私たちが刑罰の恐ろしさを考慮に入れて犯罪を避けるように意思決定を行う傾向があるとすれば、刑罰は有効だ。自由意思があるか否かにかかわらず、あらゆる刑罰が廃止された犯罪者の楽園のような社会を目指すべきではないだろう。

ハラリは、人間至上主義に代わって、データ至上主義が支配的になると主張している。たくさんのデータを読み込んで賢くなったコンピュータ上のアルゴリズム（AI）が、いずれ人間の脳を凌駕するようになるからだ。「意識を持たないアルゴリズムには手の届かない無類の能力を人間がいつまでも持ち続けるというのは、希望的観測にすぎない」[52]。

そうすると、人間は買い物から恋人選びに至るまで人生のあらゆる決定を人工知能に任せるようになるだろう。それは既に、アマゾンのレコメンデーション（書籍などの提案）システムや恋人マッチングアプリなどによって半ば実現している。

すべてのモノの「インターネット」の偉大なアルゴリズムが、誰と結婚すべきか、どんなキャリアを積むべきか、そして戦争を始めるべきかどうかを、教えてくれるでしょう

——ハラリ『ホモ・デウス』[53]

IoE（すべてのモノのインターネット）と結合したAIが、私たちの代わりに意思決定をしてくれる。これまで人間の作業を代替する機械は山ほどあったが、意思決定を代替する機械はAIが初めてだ。

私自身は、人間をぎこちなく真似る程度の汎用AIは2030年代に実現可能かもしれないが、人間並みに振る舞えるAIの実現は来世紀の出来事だと予想している。

それでも、私の購買履歴を正確に知っているアマゾンは、私よりも私自身が何を欲しているのかを把握するようになるだろう。私たちが意思決定をAIに任せる範囲がこれから限りなく広がっていくことは間違いない。

意思決定の多くを機械に任せるようになった時、人間の存在価値は消滅してしまうのか。科学革命によって神が死んだように、情報革命によって人間も死ぬのだろうか。

フーコーは、1966年出版の『言葉と物』(新潮社)で早くも、

人間は、われわれの思考の考古学によってその日付の新しさが容易に示されるような発明に過ぎぬ。そしておそらくその終焉は間近いのだ

そのときこそ賭けてもいい、人間は波打ち際の砂の表情のように消滅するであろう

——フーコー『言葉と物』[54]

と「人間の死」を宣告している。フーコーの予言は、データ至上主義として実現するのだろうか。

私は人間至上主義はそう簡単に崩壊しないだろうと考えている。ただ、人間を尊ぶ理由は変わっていかざるを得ない。

ミシェル・フーコー
Michel Foucault (1926-1984)
20世紀フランスの哲学者。『言葉と物』『狂気の歴史』『監獄の誕生』などの著作がある（©Christian Taillander／Camera Press／アフロ）

そもそも人間の根源的な価値は、自由意思を持っていることや自分で意思決定できること、役に立つ仕事ができることなどにはない。

人間の価値はその能動性にではなく受動性にある。悲しんだり喜んだり、痛みを感じたりすること、つまりクオリアを持つことにこそ人間（生命）の価値がある。機械が人間の知性を追い越すことがあったとしても、人間に価値があることには変わりない。

したがって、ベーシックインカム（BI）のような普遍的な社会保障制度によって、どんな役立たずやどんな怠け者でも救済されるべきなのである。それにしても、BIが不可欠な時代が来るほどに、AIは人々の雇用を奪うのだろうか。いつどのような形で奪うのだろうか。

本章のまとめ

Summary 2

- 脳の神経系はリゾーム状を成しているにもかかわらず、人間の意識的な思考はツリー状である
- 20世紀主流のAIは、人間の意識的思考を再現しようとしたツリーシステムに基づいていた
- 現在主流のAIは、リゾーム状を成したニューラルネットワークに基づいている
- 現在のAIは視覚や聴覚といった人間の知覚を高い精度で再現できる
- 現在のAIは悟性（思考力）があまり働かない。特に言語的思考、概念操作はほとんどできない

- 全脳アーキテクチャによってある程度、人間の知的振る舞いを再現できるが、あらゆる感性・悟性の再現はできない
- 全脳エミュレーションによって感性・悟性も含めて人間の知的振る舞いを相当程度再現できる
- 人間の能力に価値を置いたままであれば人間中心主義は崩壊する
- 喜び悲しむ人間の存在そのものを尊ぶような価値観に転換しなければならない

第3章 人工知能は人々の仕事を奪うか

The Pure Mechanized Economy_Chapter 3

われわれ全員がソフトウェア・プログラマーやロボット工学者になれるわけではない。われわれ全員がシリコンヴァレーに引きこもって、しゃれたスマフォ・アプリを作って大もうけできるわけではない

——ニコラス・カー『オートメーション・バカ』[55]

1 技術的失業の実際

最初の技術的失業

ある機械の普及によって、2020年代に日本からほぼ確実になくなる職業が少なくとも一つあるが、それが何だかお分かりだろうか？

歴史的には、AIに限らず新しい技術はしばしば人間から雇用を奪っており、そのような失業は経済学では技術的失業と呼ばれている。

大規模な技術的失業が、資本主義が始まってからほどなくして発生している。第一次産業革命の際には、織機が手織工の雇用を奪った。織機は糸から織物を自動で織る

ラッダイト運動
19世紀初頭にイギリスで起こった機械打ち壊し運動。機械の導入による失業に伴って発生した(©Bridgeman／PPS通信社)

機械であり、手織工は手で布を織る職人である。

失業を恐れた手織工は、1810年代にラッダイト運動という機械の打ち壊し運動を行っている。ところが、「このできごとは、進化の途上で起きた小さなしゃっくりのようなものと見なされている」[56]。技術的失業は結局のところ一時的な問題であるか局所的な問題にすぎなかった。

織機によって労働力が節約されたので、それだけ綿布は安く供給できるようになった。その結果、下着を身に着ける習慣が広まるなどして綿布の消費需要は増大し、工場労働者の需要もむしろ増大したのである。手織工自身は生涯失業したままということもあったが、その子供たちは工場労働者として働くことができた。

あるいは、蒸気機関は織機の動力として使われるだけでなく、機関車の動力にも使われ、鉄道員や鉄道技師などの新たな雇用を生み出した。手織工の子供たちはそんな仕事に就くこともできた。

このような例からも分かるように、新しい機械の導入によって生産が効率化し、労働が節約されるからといって、経済全体で長期的に失業率が上昇するというようなことは歴史上起きたことがないと考えられてきた。

絶えざる技術進歩が長期的に失業率を上昇させる可能性については、多くの経済学者が「労働塊(ろうどうかい)の誤謬(ごびゅう)」として否定している。塊というのは、かたまりという意味だ。労働塊は「世の中で必要とされる労働力は一定のかたまりであり、生産が効率化したらその分だけ労働者は不要となり失業が増大する」といった考えであり、経済学では間違いとされている。

生産が効率化したら、商品の値段が安くなりその商品の需要が増大するか、あるいは新しい商品が生み出されてその商品を作るための新たな雇用が創出されるからだ。

ただし、これは新しい技術が雇用を奪わないことを意味しない。イノベーションはこれまで失業率の長期的上昇をもたらさなかったが、絶えず雇用を奪ってきた。「機械がしばしば労働にとって代わったということに疑問の余地はない」[57]。したがって、

AIだけが例外的に失業をもたらさないと考える方が不自然だ。

AI失業は起こらないという主張が散見されるが、それはミスリーディングであろう。後で述べるように、AI失業はアメリカで既に起きている現実的な問題だ。「AIは失業率の長期的上昇をもたらさない」という意味で「AI失業は起こらない」と述べているのであれば、その限りでは正しい可能性もある。ただし、アメリカの労働参加率の低下をどう解釈するかという問題をクリアしなければならない。

自動車の普及によってなくなった仕事

技術的失業は歴史上、何度も繰り返し起こっている。例えば、20世紀初頭まで欧米では馬車が主な交通手段だったが、自動車の普及によって馬車とともにそれを操る御者という職業が一掃された。

第一次産業革命期に実用化された蒸気機関車は、線路に沿って折り目正しく走るだけで、路上を自在に移動する小回りの利く乗り物ではないので、馬車のライバルにはなり得なかった。

実を言うと、蒸気機関車が現れるよりもずっと前の1769年に、フランスの技術者ニコラ＝ジョゼフ・キュニョーによって蒸気自動車が発明されている。

ニューヨーク五番街(1900年)

街中を行きかう乗り物のほとんどは馬車だった(©National Archives/Newsmakers/ゲッティ/共同通信イメージズ)

ところが、当時「馬なし馬車」と呼ばれたこの蒸気自動車の実用化と普及には長い時間が掛かった。特にイギリスでは、1865年に赤旗法が施行され、歩行者に危険を知らせるために、人が車の前を歩いて赤い旗を振らなければならなかった。それゆえに、自動車の開発や普及が滞ったのである。この赤旗法は、イノベーションを抑制した間抜けな悪法としていまだに語り草となっている。

第二次産業革命期の1880年代にドイツ人のゴットリープ・ダイムラーとカール・ベン

ニューヨーク五番街（1913年）

馬車が自動車に置き換わり、街の風景が様変わりした（©Library of Congress Prints and Photographs Division Washington, D.C.／共同通信イメージズ）

ツによってガソリン自動車が商業化され、１９００年頃から急速に蒸気自動車にとって代わるとともに普及していった。

ニューヨークでは、１９００～１９２０年のたった20年間で街の風景が様変わりした。１９００年に街中を行きかう乗り物のほとんどは馬車だったが、１９２０年には自動車が路上を席巻している。

ちょうど、２０１０年にはまだ人々が電車の中で本や雑誌を読んでいたのが、２０１８年にはほぼ全員がスマホを手にしているのと同じような急速な変わりようだ。

自動車の普及によって、御者だけでなく馬も言わば失業した。馬は、メソポタミアで紀元前2000年には既に馬車馬として人間に雇用されていた。

戦場では、古代の中東、中国、インドなどの多くの地域で、チャリオット（戦闘用の馬車）を走らせるのに馬が使われていたが、やがて人が直接馬にまたがるようになった。

中国では紀元前307年に、趙(ちょう)国の武霊王(ぶれいおう)が、乗馬に適した遊牧民の服を着て馬上から矢を射る胡服騎射(こふくきしゃ)を採用したのが、騎兵の始まりだ。

長い間、馬は平時には馬車馬として、戦時には軍馬として活躍していたが、今では競馬場か動物園でしかお目に掛かれない。馬のほとんどは技術的に失業してしまっている。

技術的失業と労働移動

人間が同じ運命をたどることはないだろうか。機械は馬をほぼ完全に代替したが、人間を代替することはないだろうか。少なくともこれまでは人間をごっそり代替することはなかった。ただガス灯の点火係や電話交換手、タイピスト、計算手などいくつかの職業を消滅させるに留まっている。

計算手は、計算を専門にする職業の名前で、英語では、“Computer”（コンピュータ）という。コンピュータはかつて、機械ではなく職業の名前だったのである。この職業も、電卓や機械のコンピュータが普及することによって消滅した。今では、コンピュータと聞いて、職業を想起する者は誰もいない。

２０２０年代に日本からほぼ確実になくなるのは、電気のメータを見てその使用量をチェックし電力会社に報告する検針員という職業だ。この時期にスマートメータという機械が日本のおよそ全家庭に普及し、それが自動的に電気の使用量を電力会社に送信するようになる。

実を言うと、スマートメータのコストはいまだに高く、人間の検針員が見て回った方が安上がりだ。それでも、電気の使用量をデジタルデータとして収集して、電力利用の効率化を図るために導入が進められている。

いずれにしても、２０２０年代には人が一軒一軒各家庭のメータを見て回る必要はなくなる。多くの検針員は既に解雇されることが言い渡されている。

これだけＡＩ失業が取りざたされているにもかかわらず、近々消滅する職業はこの検針員くらいだろう。歴史上消滅した職業もさほど多くない。ただし、それらは技術

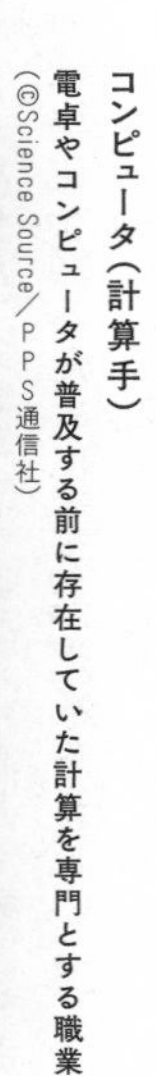

コンピュータ（計算手）
電卓やコンピュータが普及する前に存在していた計算を専門とする職業
（©Science Source／PPS通信社）

的失業が稀な出来事であることを意味しない。

職業が消滅するということは、機械とその職業の労働者が代替的な関係にあることを意味する。代替的というのは、バターとマーガリンのように互いに代わりを務めることができる関係を意味する。それに対して補完的というのは、バターとパンのように互いに補う関係のことをいう。

経済学者にすら誤解されていることだが、機械と労働者の代替関係のみが技術的失業をもたらすのではない。機械

と労働者の関係が補完的である時すらも、技術的失業がもたらされる場合がある。むしろ、補完関係から生じる技術的失業の方がはるかに多い。
　労働者が機械を操作して自動車を製造している状況を思い浮かべてほしい。機械は労働者なしには作動しないので、確かに機械と労働者は補完的な関係にある。
　当初、1日に6人で1台の自動車を製造していたものとする。ところが、より性能の優れた機械が導入されて、2人で1台製造できるようになったとする。逆にいうと、1人当たりの生産性が3倍に上昇している。これこそが典型的な技術進歩であり、特に、労働節約的技術進歩という。

自動車に対する需要が変わらずそれゆえ生産量に変化がなければ、6人のうちの4人は失業するか窓際に追いやられる。ところが、労働が節約された分、安く生産できるようになるので、価格の下落によって需要が増大する可能性もある。100万円の自動車が40万円になれば、それだけ購入する人も増えるだろう。

ところが、価格が下落しても十分需要が増大しない場合もある。その場合、6人のうちの4人とまではいかないにしても、3人くらいは失業してしまうかもしれない。だが、たとえ失業したとしても、その多くは失業したままでいるわけではなく、別の職業に転職するだろう。技術的失業が一時的な問題に留まるのは、労働移動によって解消されるからだ。労働移動というのは、ある企業から別の企業へ、あるいはある業種から別の業種へ労働者が移動することだ。

先の例で、新しい機械が導入され労働力が節約されても、全く需要が増大しない場合、6人中4人は失業する。その4人は、例えばマッサージ師やヨガのインストラクターになるかもしれない。

この場合でも経済全体で需要が増大していることに注意しよう。1日に自動車が1

台売れるとともに、マッサージやヨガ教室の需要が新たに創出されているからだ。労働節約的技術進歩は絶えず起きており、技術的失業も常に生じている。農業でも工業でもこれまでに生産性は途方もなく上昇しており、これらの産業に従事する労働者の数は減少している。

その分、労働者が増大したのは、サービス業だ。20世紀前半に主に農業から工業への労働移動が、後半には主に工業からサービス業への労働移動が生じた。

ＩＴによってサービス業における生産性上昇が起きているとするならば、それによって生じる余剰人員はどこへ向かうのだろうか。余剰人員は、それこそ生産性上昇の震源地である情報産業のようなサービス業内の成長産業に吸収されるのだろうか。

2 アメリカにおける技術的失業

アメリカでは事務労働が減っている

技術的失業とそれを解消するための労働移動は絶えず起きている。職業というのはそう頻繁に消滅するものではないが、特定の職業における雇用の減少は日常的な出来事だ。例えば、アマゾンのようなECサイトの普及に伴って、実店舗の小売店が潰れてその店員が転職を余儀なくされるといった出来事はありふれている。

たとえ一時的であっても失業は、多大な苦しみをもたらす。アメリカの社会心理学者トーマス・ホームズらの調査によれば、失業のストレスは、自分の大けがや病気よりもやや低いが、親友の死よりも高いという。転職の難しい日本では、失業のストレスはもっと高いものとなるだろう。

お金持ちやエリートの中には、この苦しみを理解できない人もいる。そんな人は、もし自分がお金持ちでもなく、能力にも恵まれてなかったら、失業は自分をどんなに追い詰めるだろうかと一度想像を巡らせてみてほしい。

図3・1　中間所得層の雇用破壊

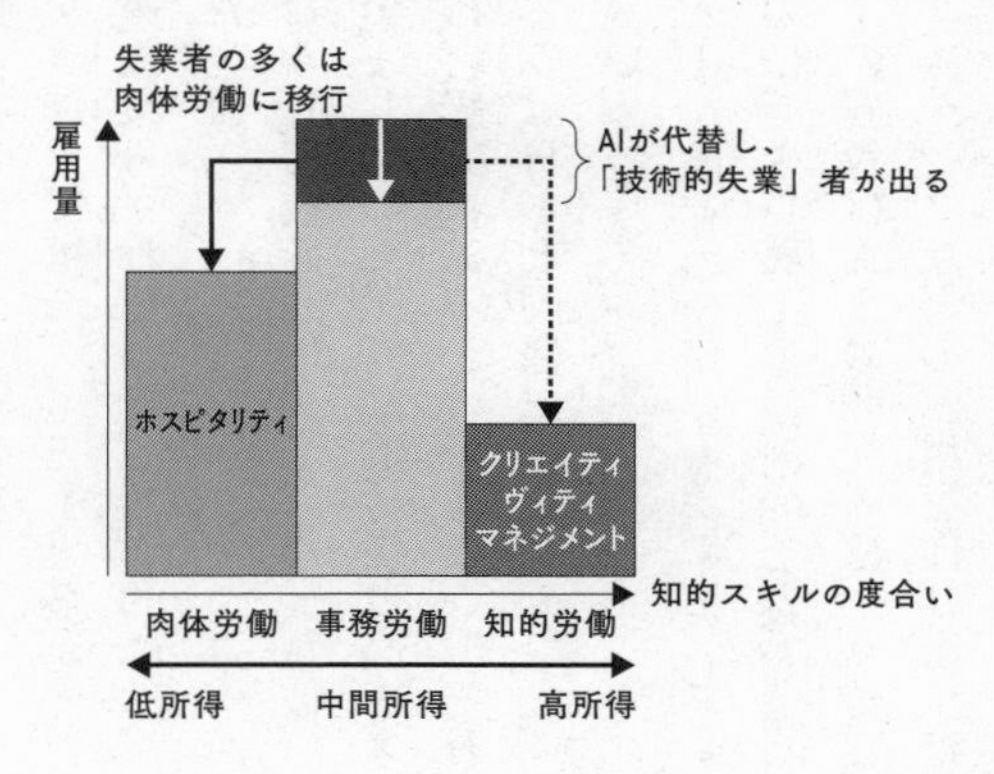

出所：筆者作成

　そして、労働移動によって技術的失業が解消されたとしても、なおも大きな問題が残される可能性がある。実際に、アメリカは既にその問題に直面している。

　アメリカの経済学者エリック・ブリニョルフソンとアンドリュー・マカフィーによる『機械との競争』（日経ＢＰ）は、ＡＩが人々の雇用を奪うかどうかという最近流行りの議論の火付け役になった本であり、２０１１年にアメリカで出版されている。

　図３・１は、この本のエッセンスを一つの図にまとめたものだ。まず、職業を単純化して、肉体労働と事務労働と知的労働の三つに分けて考えよう。低所得層は主に肉体労働に、中間所得層は事務労

働に、高所得層は知的労働にそれぞれ従事している。図3・1の縦軸には、それぞれの職種の雇用量をとっている。

アメリカでは今、もともと多かった事務労働の雇用量が、AIを含むITによって急速に減らされている。具体的には、コールセンターや旅行代理店のスタッフ、経理係などだ。

こうして技術的失業者となった彼らが、知的労働の方に移動できれば所得が増大して望ましいのだが、知的労働は高いスキルが要求されるうえに、そもそも雇用量がそれほど膨大にあるわけでもない。それゆえ、彼らはたいがい肉体労働の方に移動してしまう。日本と同様にアメリカでも、介護スタッフや清掃員といった肉体労働の需要は高い。

「AIが既存の雇用を奪ったとしても、AIは新たな雇用を生み出すはずだ」というのは、AIによる技術的失業を論じる際の今や決まり文句となっている。確かに、AIの普及はAIの開発者ばかりでなく、AI導入のコンサルタント、AIに教育を施すスタッフなどの雇用を作り出すだろう。

だが、AIを含むあらゆるITに当てはまることだが、ITが増やす雇用はITが奪う雇用よりも基本的には少ない。経理システムの開発者の人数は、それによって削減される経理係の人数より少ないはずだ。そうでなければ、経理システムを導入するメリットはない。

旅行サイトの開発・運営に携わる人員も、同様のサービスを提供する旅行代理店の人員より少ないはずだ。ただし、そうしたサイトの展開によって、値段が安くなったり便利になったりすることで、需要が増大し雇用が増大する可能性はある。

だが、旅行サイトの普及により旅行者がけた違いに増えたり、オンライン書店の普及で書籍の売り上げがけた違いに伸びたりはしていない。それに対し、サービスを提供するのに必要な人員の方はけた違いに減っているので、全体としては雇用は減少せざるを得ない。

現在アマゾンの従業員数は全世界で約61万人、アメリカでは約25万人だ。そうすると、アマゾンは雇用をたくさん創出しているではないかと考える人もいるだろう。

これだけ従業員が多いのは、スーパーマーケットチェーンを経営するホールフーズ・マーケットのような従業員の多い企業を買収しているせいだ。そして何よりも、アマゾンによって創出される雇用だけでなく、破壊される雇用についても考えなくてはならない。

アマゾンの躍進によって、小売業の実店舗がある程度閉店の憂き目を見ることは避けられないだろう。アメリカには、デス・バイ・アマゾン（アマゾン恐怖銘柄指数）という、アマゾンによって業績が悪化させられそうな61社から構成される株価指数がある。会員制小売チェーンのコストコ・ホールセールやスーパーマーケットチェーンのウォルマートがデス・バイ・アマゾン銘柄だ。

これら61社の従業員数をすべて足すと約525万人になる。525万人ほどの労働者がこれからアマゾン一社のために、失業させられるか、あるいは給料を引き下げられるだろう。

アマゾンが雇用を奪うことは、CEOのジェフ・ベゾス自身が否定していない。だから、最低限の生活を保証するような制度、ベーシックインカム（BI）が必要だとベゾスは主張している。

トランプ大統領とその支持者たちの敵

実際のところ、ITに仕事を奪われた人々の多くは、グーグルやフェイスブックに転職するわけではなく、シリコンバレーで一旗揚げるわけでもない。

ITが生み出す雇用は、新しい雇用のうちの7％にすぎない。したがって、ITに雇用を奪われた人々の多くは、システムエンジニア（SE）やWebデザイナーにはならない。むしろ、ＩＴとは関係ない介護や清掃などの肉体労働に従事する。

これは重要な点で、情報社会では工業社会とは異なる現象が起きていることを意味する。工業社会では、電気掃除機や冷蔵庫、テレビなど多くの新しい財が生み出されて、そうした財を生産するための労働者の需要が増大し、農村の余剰人員を吸収した。

ところが、情報社会では続々と新しいスマホアプリやネット上のサービスが生み出されているが、事務職などで生じた余剰人員の多くは、そうしたハイテク分野には転職しない。そうではなく、介護や清掃などの昔ながらのローテクの仕事に従事するようになる。言わば、労働移動の逆流が起きているのである。

ここで問題なのは、中間所得層にいた人々が低所得層に移り低賃金化するということだ。実際、図３・２のように、アメリカでは所得の中央値（図では実質世帯収入の中央値）は今世紀に入ってから横ばい傾向にある。

所得の中央値というのは、99人の人がいたら彼らを所得順に並べて50番目の人の所得ということだ。つまり一般的な労働者の所得を意味しており、それが増えていないというのである。

それにもかかわらず、所得の平均値（図では１人当たり実質ＧＤＰ）は上昇してい

図3・2　グレート・デカップリング

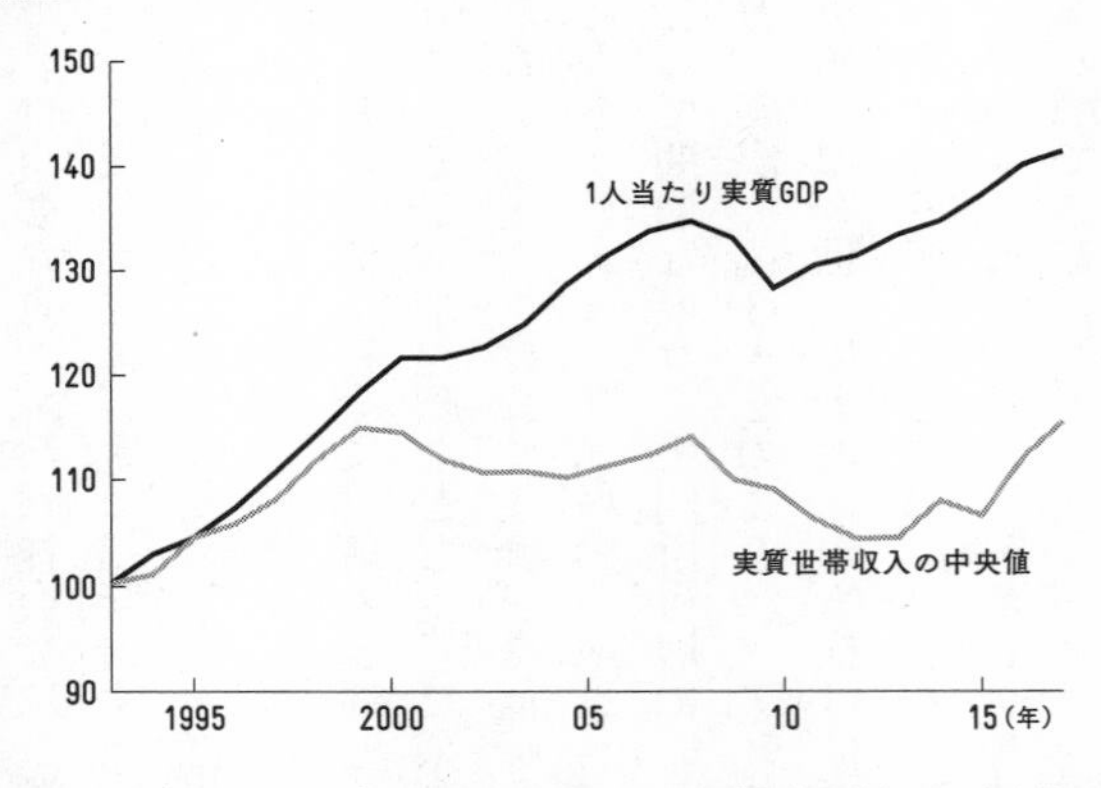

注：1993年を100とした時の「1人当たり実質ＧＤＰ」と「実質世帯収入の中央値」の推移
出所：セントルイス連邦準備銀行

る。これは、一部のべらぼうなお金持ちがさらにお金を儲けて、平均値をずり上げているからだ。当然、ビル・ゲイツやジェフ・ベゾスのようなスーパースター経営者がいくら儲けたところで、普通の労働者のふところが温まるわけではなく、中央値は上がらない。このような所得の平均値と中央値の開きのことをブリニョルフソンとマカフィーは、グレート・デカップリングと名付けた。

中央値が平均値のかなり下の方に位置するということは、平均を下回る多数の貧しい人々と平均を大きく上回る一部の突出したお金持ちがいるということを意味する。そして、平均辺りの人々の分布は少ない。ちょっと大げさな言い方をすれば、今アメリカでは中間層が崩壊しようとしているのだ。

アメリカの経済学者タイラー・コーエンは、『大格差』（NTT出版）で「ようこそ、超実力主義社会へ」[58]と悪魔的にささやき、「平均は終わった」[59]との決めぜりふを繰り返した。情報社会が超実力社会だということは、私も3年ばかりIT企業に身を置いて、SEの真似事をやっていたから身に覚えがある。

私より、プログラミングが100倍速い人もいれば、さらにその100倍速い人もいた。私は三流のエンジニアだと自覚して、この業界を後にしたエンジニア崩れだ。一方で私の10分の1ほどの実力のエンジニアもいた。

工場のラインに並んで作業したところで、熟練した作業員でも平均的な作業員の2倍くらいの手早さしか発揮できないだろう。工業社会は、誰も傷つかない優しい世界だ。運動会でいうと綱引きや玉入れをやっているようなもので、個々人の実力はそれほど目立たない。

情報社会では、徒競走やマラソンのように個々人の実力の差が残酷なまでにくっきり浮き彫りになる。第1章で既に論じたように、IT産業は労働集約型ではなく知識集約型であるために、知性やスキルを持った比較的少ない人数の労働者しか務めることができない。

そして、こうしたハイスキルな労働者のみが高給取りになる。「機械が大学に行けないうちは、学位はかつてないほど高い見返りをもたらす[60]」。残りの労働者は、賃金が安くてきつい肉体労働の方へ追いやられる。

コーエンは、今後、平均的なスキルを持った労働者が、そのスキルにふさわしい仕事にありつくことはますます難しくなるという。のみならず、所得や教育、恋愛、あらゆる面で、中間というものが消滅し、二極化が加速する。

機械の進歩という変化の波によって、高い場所に押し上げられる人もいれば、逆に乱暴に海に放り出される人もいる

——コーエン『大格差』[61]

頭脳資本主義においては、頭脳を振り絞って稼ぎまくるか、そうでなければ頭脳を使わずに体をほどほどに動かす安い賃金の労働に甘んじるしかない。その中間くらいのほどよい生活は営み難い。アベレージ・イズ・オーバー。「平均は終わった[62]」のである。

ロバート・J・ゴードンは、ITやAIが社会や経済に与える影響をかなり少なめに見積もっているアメリカの経済学者だ。そのゴードンですらも、『アメリカ経済　成長の終焉』（日経BP）で「コンピュータの時代によって生まれた問題は、大量失業ではなく、良質な安定的で中間レベルの職が徐々に消えたことだ」[63]と述べている。

大げさにいうと、今アメリカでは中間層が崩壊しつつあり、それがトランプ大統領誕生の背景にある。トランプ大統領とその支持者たちは、移民が人々の仕事を奪っていると主張していた。ところが、経済学的な分析結果によれば、移民がアメリカの自国民の仕事を奪うということはそれほど起きていない。

要するに、彼らは勘違いしていて、彼らの真の敵は移民ではなくAIだ。AIを含むITが人々の雇用を奪い、一般的な労働者を貧しくしている。

アメリカで雇用が減っているのはなぜか？

アメリカでは、技術的失業の多くが一時的なものに留まっているにしても、格差の拡大と貧困の増大という大きな問題が発生している。だが、他にも大きな問題を引き起こすかもしれない。

AIなどの技術が加速的に進歩し、生み出される失業者が増大すれば、技術的失業が一時的なものであったとしても、一国の経済全体における雇用は減少することになれる。

る。あるいは、平均的な失業の期間が長引けばそれによっても雇用の減少がもたらさ

労働塊が本当に誤謬であるためには、技術進歩による失業の長期的な増大が起きていてはいけない。実際、アメリカ経済全体の雇用動向はどうなっているだろうか。

ゴードンは、AIによる雇用破壊が起きるにしても、これまでの技術と同様にゆっくり進むと言っている。確かに、今AIはアメリカで、資産運用アドバイザーや証券アナリスト、保険外交員といった職業の雇用を減らしている。だが、その前にもインターネットが旅行代理店のスタッフや百科事典のセールスパーソンのような職業の雇用を減らしていた。

AIが出現したからといって特別なことが起きているわけではない。既存の雇用が減る一方で、それを埋め合わせるだけの新しい雇用が創出されている。その証拠に、失業率はリーマンショック直後の2009年に10%まで上昇したが、2015年には5%にまで下落している。ゴードンはこのように指摘し、AI失業を取るに足らぬ瑣末事として取り扱っている。

だが、雇用動向を分析するに際し、失業率だけに注目していては不十分だ。統計上の失業率には、職探しを諦めた人が含まれないからだ。もう一つ注目すべき指標は、

図3・3 アメリカの16〜64歳の就業率

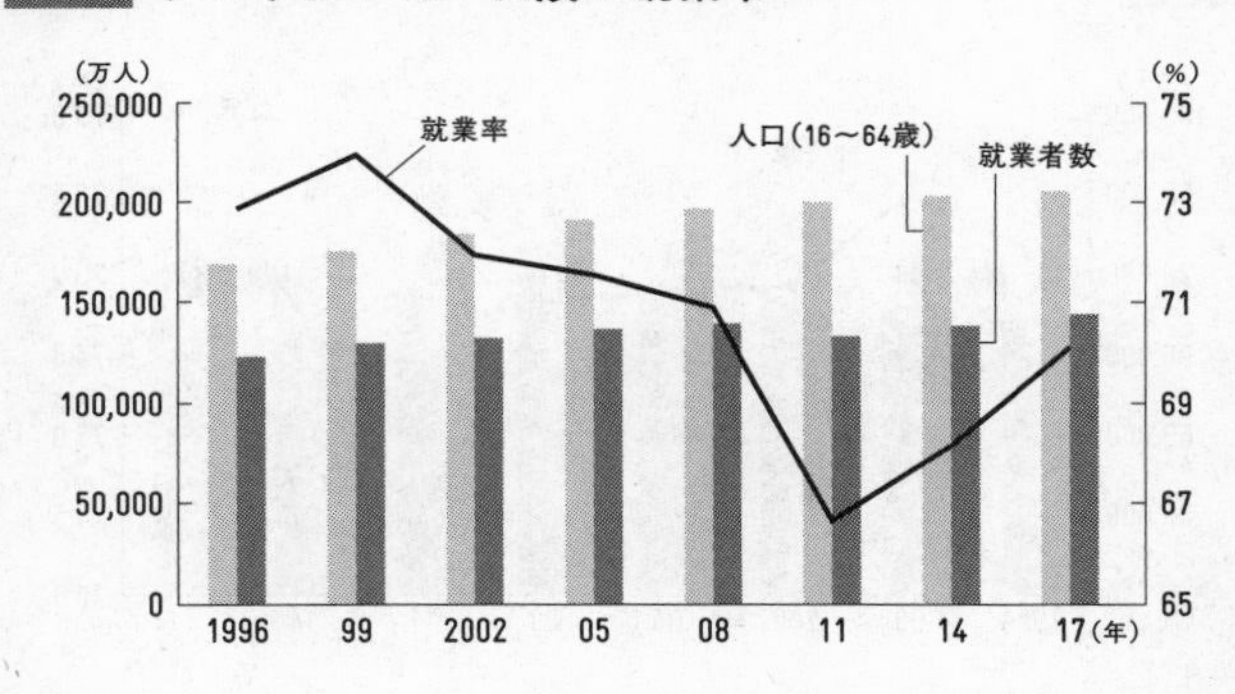

出所:筆者作成

労働参加率すなわち生産年齢人口に対する労働力人口の割合だ。アメリカの労働参加率は、ピーク時の1999年には67・1%だったが、2017年には62・9%まで低下している。

ただし、労働力人口には失業者も含まれているので、さらにこれも除いて就業率つまり生産年齢人口に対する就業者数の割合を確認する必要がある。図3・3は、アメリカの16〜64歳の就業率で、図3・4は、25〜64歳の就業率だ。いずれもリーマンショック以降急激に下落し、その後回復傾向にあるものの、ピーク時の1999年に比べて直近の2017年は、数パーセント低い状況にある。

アメリカの労働参加率や就業率の低下の原

図3・4　アメリカの25〜64歳の就業率

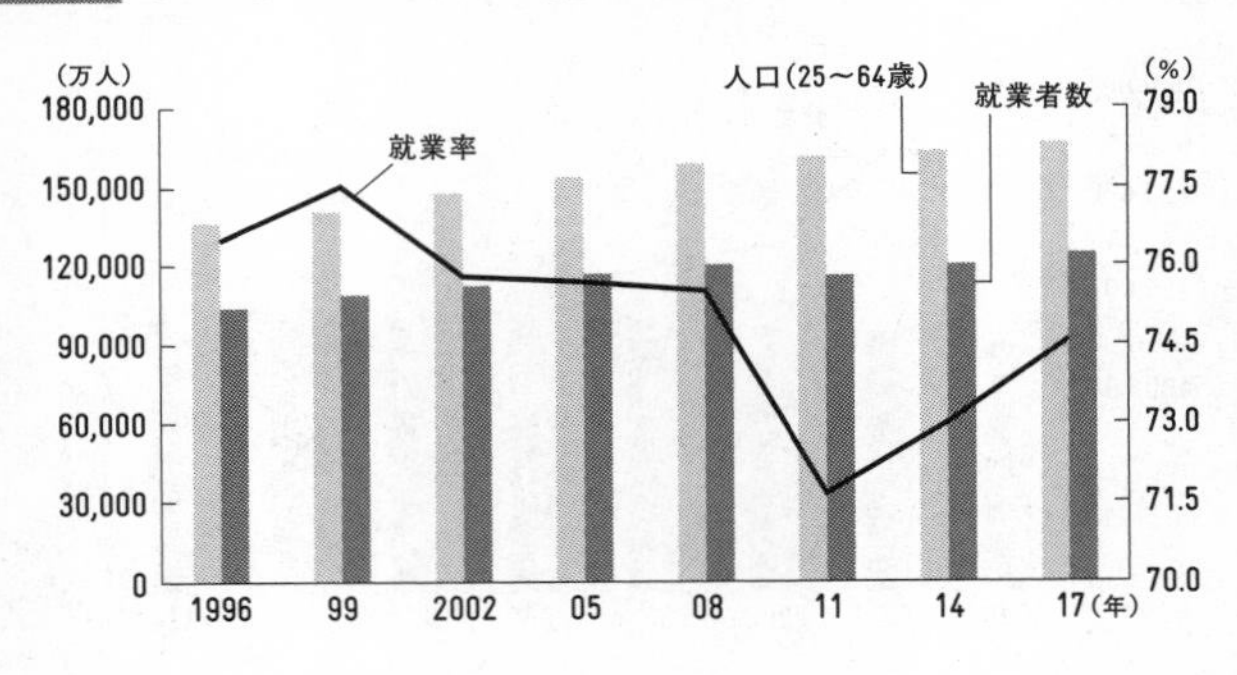

出所：筆者作成

因と目されているのは、(1)ベビーブーマーのリタイア、(2)大学・大学院進学率の上昇、(3)AIを含むITによる雇用破壊の三つだ。

図3・3では65歳未満に限定しているので、(1)ベビーブーマーのリタイアの影響をおよそ除外できている。図3・4ではさらに25歳以上に限定しているので、(2)大学・大学院進学率の上昇の影響をおよそ除外できている。残る影響は、(3)AIを含むITによる雇用破壊のみということになる。

要するに、図3・4から言えることは、アメリカの25〜64歳の人々が労働意欲を失っているのでもない限り、労働需要が減少しているということだ。現役世代がより怠惰になり労働供給が減少しているせいで就業率が低下しているならば、賃金上昇率は上昇していなくてはならない。ところが、1999年にはおよそ4%だった賃金上昇率は、2017年には2・5%にまで低下している。アメリカで雇用の減少が起きているのは確実だ。

ただし、今後就業率がこのまま長期的に低下傾向をたどる可能性もあるし、上昇に転じる可能性もある。確定的なことは今のところ何も言えない。気をつけるべきなのは、工業化の時代に労働塊の誤謬が成り立ったとしても、情報化の時代には、誤謬ではないかもしれないということだ。過去の原則がそのまま未来に当てはまるとは限らない。

今後AIの進歩が加速してもそれが特化型AIである限り、労働市場が円滑に調整されれば、就業率の長期的な低下は避けられるはずだが、そうなる保証はない。さらに、それが円滑に調整される場合でも、格差が拡大し低所得の労働者が増大する可能性は高い。格差を縮小させ、貧困層の底上げを図るには、結局のところBIのような大々的な再分配制度が必要となる。

3 日本における技術的失業

やはり事務労働は減少する

日本は現在、景気回復過程にあり労働参加率は上昇傾向にある。それでも、長期的には日本でもアメリカ同様に雇用が減少していく可能性がある。

日本では終身雇用制の企業が多いので、今のところ目立ったＩＴによる失業は生じていない。そもそも、終身雇用制の存在自体がＩＴの導入を遅らせている。どうせ人を解雇できないのならば、ＩＴを導入するよりも人を使い続けた方が安上がりだからだ。

加えて、日本の経営者が比較的高齢であることもＩＴ導入を遅らせる要因となっている。年配者が新しい技術を理解するのは、不可能ではないにせよ困難だ。

そんな日本でも、事務職は既に減らされており、人手がだぶついている。２０１９年１月の有効求人倍率の全業種平均が１・56倍であるのに対して、一般事務は０・43倍だ。有効求人倍率というのは、１人の労働者に対して企業がどれだけの人を採用しようとしているかを表している。

単純化していうと、有効求人倍率が1倍を超えれば労働者の数以上に雇用の口があるので、企業と労働者の双方が選り好みしなければ全員が就職できることになる。それに対し、有効求人倍率が0・43倍というのは、2人応募して1人くらいしか採用されない状況を意味する。

多くの人々が、エアコンの効いた部屋で座って仕事をしたいと願っている。だが、そういう人気の職業である事務職こそがIT化しやすく、今後ますます雇用の口が減らされていく。

事務職が特にIT化にさらされているということには理由がある。それは、こういった職種では、実空間ではなく情報空間における作業が中心だということだ。

事務職員は、基本的には物体を運んだり作ったりするわけではなく、帳面や書類を作ったりチェックしたりしていて、記号ないし情報を相手にしている。

肉体労働が実空間における作業であるのに対し、事務労働はおよそ情報空間で閉じている。したがって、それらはITないしAIで置き換えられやすい。

実空間の労働を自動化しようとすれば、ソフトウェアとハードウェアの両方が必要だ。AIという頭脳部分だけでなく、動作するメカの部分も作らなければならない。

自動運転車についていうと、それをコントロールするAI部分だけを作って開発が終わるわけではなく、当然、車体や外界を把握するためのセンサーなども開発されなければならない。それゆえ、その研究開発は2段階必要であり、長い時間を要する。

私はトラック運送業に従事する人たちと議論したことがあるが、彼らは「とにかくトラック運転手が足りない。誰か早く自動運転トラックを実用化してくれ」と悲痛な叫びを上げていた。

現在、豊田通商などが、産業技術総合研究所で後続車無人隊列走行の実験を行っている。3台のトラックが連なり、先頭車両は人が運転するが、後続する2台目、3台目は無人で、先頭車両を追従して走るのである。

ただし、今はまだ実験段階なので、後続車は自動運転がなされているものの、まだ人が運転席に座っている。2020年に後続車両を無人化し、22年には高速道路での運用を実現する計画だ。

2025年にようやくのこと高速道路で、単独での自動運転トラックが走行可能になる予定だ。一般道での走行はその後になる。一般道での自動運転は、高速道路に比べたらけた違いに難しい。

2030年頃になって、高速道路での自動運転トラックが十分普及し、一般道でも走行が可能になるだろう。つまり、２０３０年までにトラック運転手の人手不足が解消されることはないということだ。

このように、建設業、飲食業、運送業などの実空間を相手にする業種、つまり肉体労働を要する業種では、作業がきつい割には低賃金なので人手不足が深刻だが、こういった業種こそが機械による省力化が進みにくい。

今の日本では人手不足が続いており、ＡＩはそれを埋め合わせる役割を果たすから、失業をもたらすことはないと思われがちだが、話はそんなに単純ではない。人手不足の職種・業種ではＩＴ化・ＡＩ化の進展が遅く、人手不足がなかなか解消されない。他方で、人手が余っている職種・業種ではＩＴ化・ＡＩ化によって失業がもたらされる。つまり、全体としてまだら模様になる。労働市場は、２０３０年くらいまで、こうしたまだら模様のまま推移するだろう。

銀行業は大失業時代を迎える

これから、深刻な技術的失業の問題が生じるのは、職種で言えば事務職だが、業種で言えば金融業、特に銀行業だろう。

例えば、みずほ銀行は２０１７年11月に、今後10年で行員の３割にあたる１万

9000人を減らす計画を発表した。新規採用を抑える形での自然減を企図しているとのことだが、実際には解雇に近いことも行われるだろう。

以前から、アマゾンの普及で街角の書店が廃業し、店員が失職するということは起きている。それも技術的失業の実例だが大きなニュースにはなっていない。

しかし、銀行員のような盤石と思われている職業で失業が発生したならば、人々はいよいよAIが雇用を奪う技術であることを否定できなくなるだろう。

つい2年くらい前まで銀行は新規採用に積極的で、「このAI時代に行員を積極採用して大丈夫なのか」と私はいぶかしく思っていたが、2017年になってからは抜本的な方針転換を図ったようだ。その背景には、フィンテック（FinTech）の普及がある。

フィンテックというのは、"Finance"（金融）と"Technology"（技術）という二つの言葉から成る造語で、金融のIT化あるいはそのための技術を意味する。

銀行で今雇用を減らしつつあるのは、窓口よりもバックオフィスだ。バックオフィスの行員は、窓口の裏手で、決済業務や書類作成、書類のチェックを行う。こうした業務が今急速にフィンテックによってIT化しつつある。

続いて、店舗を減らすのに応じて、窓口業務も減っていくだろう。三菱東京UFJ

銀行は、2018年4月に今後3年間で全店の約15%を統廃合する検討に入った。

情報空間を相手にする業種はいろいろあるが、とりわけ銀行業を含む金融業がIT化・AI化されやすいのは、それが主に数値を扱っているからだ。言葉とは違って、数値を扱うのは人間よりもむしろコンピュータの方が得意としている。

今のところ、AIは言葉の意味を理解することができないので、言葉による表現やコミュニケーションを必要とされる労働を代替するのは難しい。

政治家が不倫したり、政治資金を不正に使ったりしてけしからんので、AIに置き換えてしまおうという主張が、今ネット上で盛んになされている。だが、言葉の意味の理解できない今のAIが、政治家の仕事を担うことはできないだろう。

肉体労働が減っていくのは2030年以降

オックスフォード大学研究員のカール・フレイと准教授のマイケル・オズボーンは、「雇用の未来」という論文で702もの職業について、10〜20年後にコンピュータなどによってオートメーション化されて消滅する確率をはじき出している。

表3・1に消滅する確率が高く、かつ日本人になじみのある職業を抜粋した。バーテンダーも含めて消滅する確率が高いものと思ってもらいたい。一方、表3・2では

表3・1 消滅する可能性の高い職業

職種	消える確率（%）
スーパーなどのレジ係	97
レストランのコック	96
受付係	96
弁護士助手	94
ホテルのフロント係	94
ウェイター・ウェイトレス	94
会計士・会計監査役	94
セールスマン	92
保険の販売代理店員	92
ツアーガイド	91
タクシーの運転手	89
バスの運転手	89
不動産の販売代理店員	86
漁師	83
理髪師	80
皿洗い	77
バーテンダー	77

表3・2 消滅する可能性の低い職業

職種	消える確率（%）
医師（内科医・外科医）	0.42
小学校の教員	0.44
カウンセラー（メンタルヘルス）	0.48
人事マネージャー	0.55
人類学者・考古学者	0.77
中学校の教員	0.78
メイクアップ・アーティスト	1.0
セールス・マネージャー	1.3
作曲家	1.5
ファッション・デザイナー	2.1
インテリア・デザイナー	2.2
アートディレクター	2.3
弁護士	3.5
作家・小説家	3.8
数学者	4.7
宣伝・販促マネージャー	5.4
旅行ガイド	5.7

出所：フレイ＆オズボーン「雇用の未来」に基づき筆者作成

消滅する確率が低い職業が抽出されている。

表3・1には、弁護士助手や会計士・会計監査役などの頭脳労働も見られるが、タクシー運転手や漁師、ウェイター・ウェイトレスなどかなり多くの肉体労働が失われる可能性が高いということが示されている。

ただし「雇用の未来」という論文は、これらの職業が機械によって技術的に代替可能になると言っているだけであって、実際に消滅するとまでは明言していない。技術的に代替可能ということが、ただちに職業を消滅させることを意味するわけではない。例えば、表3・1のリストの上位の方にレジ係がある。

レジ係は、今でもセルフレジによって代替可能である。それでも、あらゆるスーパーマーケットにセルフレジが導入され、レジ係が一掃されるということは起きていない。これには二つ理由がある。一つは経営者が導入を面倒くさがったり、あるいは導入コストを負担できなかったりすることだ。もう一つは、消費者側がセルフレジを使いこなせないので忌避するということである。

レストランで注文のためのタッチパネル機を導入したら、高齢者を中心に客足が遠のいたということもある。こうした消費者側の理由によって、導入が進まないということは多々あり得る。

したがって、表3・1のリストにある職業が10〜20年後に消滅することはないと私は踏んでいる。私が知る限り、近いうちに消滅する職業は、電気使用量の検針員だけだ。

だが、雇用が消滅しないと聞いて安堵してはいけない。「雇用の未来」に対して、職業が消滅するのではなく、各職業におけるタスクが消滅するだけだとの批判が繰り返しなされてきた。その批判はおよそ正しいが、大したなぐさめになりはしないのである。

レジがすべてセルフレジに置き換わったとしても、スーパーマーケットの店員という職業が消滅するわけではない。棚卸しやクレーム対応といったタスクが残るからだ。

だが、前述したように論点にすべきなのは、職業が消滅するかどうかではなく、各職業における雇用が減るかどうかだ。新しい技術がタスクを代替することによって、雇用が減少する可能性は十分ある。

自動改札の導入によって、駅員という職業は消滅しなかったが、その雇用はかなり減少した。セルフレジの普及によって、店員の雇用が減少する可能性は十分ある。職業が消滅しなかったとしても、15年ほど経ってその雇用が半分になるのだとすれば、決して安心して勤続することはできないだろう。

マッキンゼー・グローバル・インスティテュートが2017年に公表したレポート「未来の労働を探求する」によれば、小売業の自動化の度合いは53%でおよそ半分だ。それがただちに、半分の従業員の解雇につながるわけではないが、少なくとも技術的にはそれだけ代替可能となる。

タクシー運転手や警備員のような肉体労働に関して言うと、早ければ2025年、遅ければ2035年、恐らくは2030年くらいから目に見えて減少を始めるだろう。

では、今のAIの延長上の技術を組み込んだ機械によって、最終的にはどのくらいの仕事がなくなるだろうか。フレイとオズボーンは、アメリカの労働者の47%が従事する職業が消滅すると言っている。

オズボーンとの共同研究に基づいてなされた野村総合研究所の予測では、日本の労働者の49%が従事する職業が消滅するという。

これが直接、日本の労働者の半分が失業するということを意味するわけではない。新しい職業も生まれてくるし、残った職業に移動する人もいるからだ。

ところが、今のAIをはるかに凌駕するAIが出現すれば、失業者はもっと増大する可能性がある。汎用ＡＩが出現したらどうなるだろうか。

4 人間並みの人工知能が出現したら仕事はなくなるか

汎用人工知能は根こそぎ雇用を奪うか

２０３０年頃に汎用ＡＩ（と汎用ロボット）が出現するのであれば、それ以降、多くの人間の雇用が消滅に向かう可能性がある。

人間の知性は汎用的なので、潜在的にはいかなるタスクもこなし得る。人間の労働力は軟体動物のように自在に形を変えて、様々な職業に対応できるのである。

したがって、特化型ＡＩが一つの職業を奪ってしまったとしても、失業者は他の職業に転職することができる。別の言い方をすれば、特化型ＡＩは一つの職業（あるいはそのうちの一つのタスク）と代替的ではあるが、人間そのものと代替的なわけではない。

それに対し汎用ＡＩは、汎用的な知性を持った人間という存在そのものと代替的だ。汎用ＡＩも軟体動物のように自在に形を変えて、様々な職業に対応できるからだ。

そうすると、汎用ＡＩのコストが人間の賃金よりも低い場合、あらゆる職業において人間の代わりに汎用ＡＩが雇われることになる。

新しい職業が生まれたとしても、汎用ＡＩはすぐさまその職業に適応し、人間を駆逐してしまう可能性がある。しかし、汎用ＡＩに人間の真似事ができたとしても、人間と全く同じに振る舞えるとは限らない。

先に取り上げた日本のＮＰＯ法人、全脳アーキテクチャ・イニシアティブは、海馬や大脳基底核、大脳新皮質などの脳の各部位ごとの機能をプログラムとして再現し、そのプログラムを結合させることによって、全体として人間と同じような知的振る舞いのできる汎用ＡＩを実現しようとしている。

全脳アーキテクチャは脳の機能を真似ているだけであって、脳をまるごとコピーしてソフトウェアとして再現する全脳エミュレーションとは異なっている。

人間には自分自身にすら気づかない潜在的な感覚や感性、欲望があって、全脳アーキテクチャ方式で汎用ＡＩを作ったところで、それらをすべて再現できるわけではない。そういった感覚などのすべてをAIに備えさせるには、単に脳の機能を真似るだけでなく、脳をまるまるコピーしなければならない。つまり、全脳エミュレーションが必要となる。前章で述べたように、それが可能となるのは恐らく100年以上後のことだ。

手っ取り早く汎用AIを実現するには、脳の機能を真似る全脳アーキテクチャのようなアプローチが有力だ。そういう方式で作った汎用AIは、人間が持つすべての感覚や感性、欲望を備えるわけではないので、人間と全く同じような判断や振る舞いを行うことはできない。

それでも残る仕事

それゆえ、

●クリエイティヴィティ系（Creativity、創造性）
●マネジメント系（Management、経営・管理）
●ホスピタリティ系（Hospitality、もてなし）

といった三つの分野の仕事はなくならないだろう。こういった仕事では、自分の感性や感覚、欲望に基づいた判断を必要とする。「クリエイティヴィティ系（C）」は、曲を作る、小説を書く、映画を撮る、発明する、新しい商品の企画を考える、研究をして論文を書く、といった仕事だ。「マネジメント系（M）」は、工場・店舗・プロジェクトの管理、会社の経営など。「ホスピタリティ系（H）」は、介護士、看護士、保育士、教員、ホテルマン、インストラクターなどの仕事だ。私はこれらの技能をまとめて、CMHと言っている。

フレイとオズボーンの論文から抽出した表3・2を見ても、消える可能性の低い仕事がおよそCMHを必要とするということが分かるだろう。

とはいえ、CMH系の職に就いている人々が、未来においても安泰かというとそうではなく、こういった分野でも、AI・ロボットが進出してきて、言わば「機械との競争」にさらされる。これまで人間は、他の人間と競い合っていたが、これからの時代を生きる人間は機械とも競い合わないといけないというわけだ。

作曲するAIは既に存在しており、アメリカではAIの作ったポップスを大量に売り出す計画がある。それが実施されたら、AIよりもしょぼい曲しか作れない作曲家は失業してしまうだろう。

AIは、過去の作品を参考にして創作することはかなり得意になってきている。例えば、マイクロソフトなどが開発したAIは、17世紀オランダの画家レンブラントの新作であるかのような絵を描くことができる。バッハがいかにも作りそうな曲を作るのは、人間よりもAIの方がうまいくらいだ。

新規性のある曲もいずれ作れるようになるかもしれない。しかし、AIには新規性とエンターテインメント性を兼ね備えた曲を作ることは困難だ。図3・5は、横軸にエンターテインメント性を、縦軸に新規性をそれぞれとっており、ポップス、クラシックといった音楽のジャンルを配置している。AIに難しいのは右上の方向にある音楽というわけだ。

なぜなら、AIは自分が作った新しい曲のフレーズが人間にとって心地よいかどうかを判断することができないからだ。過去に似たフレーズがあれば、このフレーズもまた心地よいだろうと類推できる。

しかし、過去に似たフレーズがなければ判断しようがない。人間は自分の脳に問い合わせれば、それが心地よいかどうかを知ることができる。自分の感覚や感性に従って、判断できるのである。

当面AIは人間の脳の完全なコピーではあり得ない。したがって、あるフレーズが

図3・5 AIに作曲が難しい音楽のタイプ

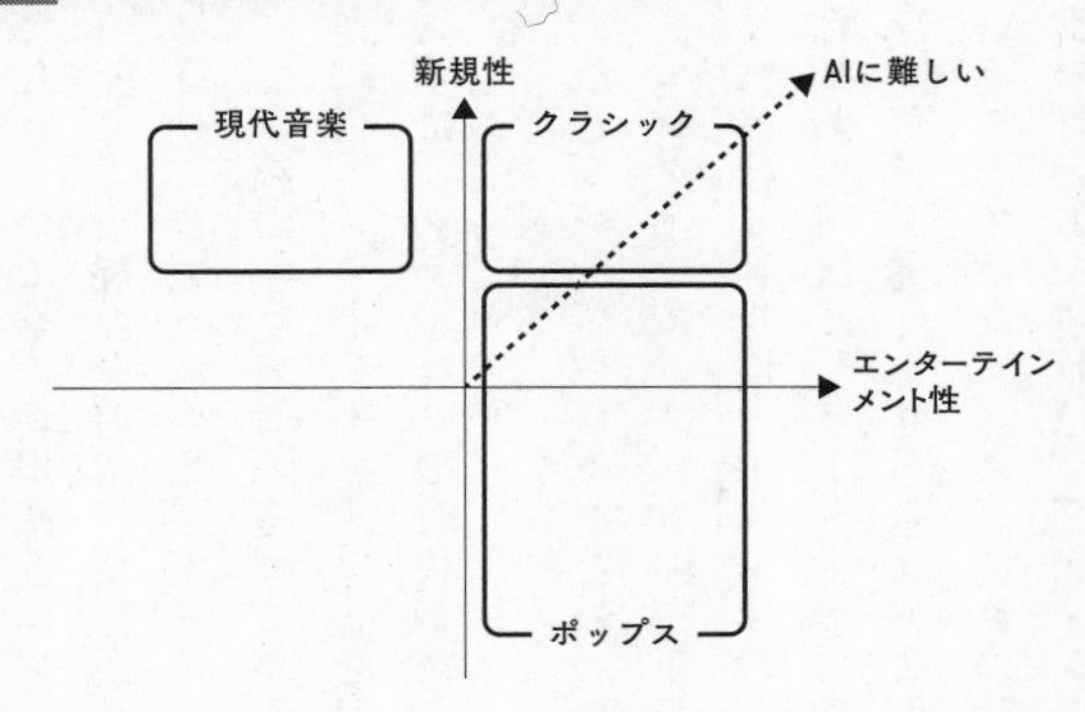

出所：筆者作成

新規なものであればあるほど、ＡＩにはその価値を判断できず人間自身の手にゆだねるしかなくなる。

ただし、図３・５の右上の領域の作品を作るのは人間にも難しくなってきた。もともと近代芸術はおよそどの分野であれ、新規性とエンターテインメント性を兼ね備えていた。音楽でいうと、ベートーベンやモーツァルト、ショパンなどのクラシック（近代音楽）だ。

ところが、時代が進むにつれて新規性とエンターテインメント性を兼ね備えるのは困難になっていった。次第に両方を兼ね備えたネタが採り尽くされていくからだ。池にある魚を次々と釣っていくと、池の魚が減っていくからだんだんと釣るのが難しくなっていく。それと同様に、芸術もネタ切れを起こしていくのである。

ただし、今でも、新規性とエンターテインメント性のどちらかのみを追求することは可能だ。新規性を追求した音楽は、今では現代音楽と呼ばれるジャンルとしてくくられる。このジャンルは、エンターテインメント性があまりにも乏しいので、鑑賞者がごく少数のマニアに限られている。

逆に、エンターテインメントを追求した音楽は、ポップスと呼ばれる。第二次世界大戦頃に、クラシックの時代が終わって、戦後の音楽は現代音楽とポップスの二つに明確に分離している。

ただし、ジャズやロックといったポップスにも、新規性を追求した曲はあり、新規性とエンターテインメント性を兼ね備えている場合もある。それでも、今日ではポップスにおける新規性の追求もかなり難しくなってきている。

私たちの時代に、ベートーベンやモーツァルト、ビートルズのような後世に名を残す音楽家が、現れる可能性はかなり低い。それは、今の音楽家が能力的に劣っているということではなく、ネタ切れの時代を生きる者の宿命なのである。

別の言い方をすれば、図3・5の右上の領域の音楽、つまりＡＩには作り得ない音楽はかなり減ってきている。バッハ以前にＡＩがあったとしても大した作曲はできなかっただろうが、今のAIが作り得る曲のヴァリエーションは豊穣だ。この数百年の間に人間によって生み出された様々な曲がデータとして利用可能だからである。クリエイティヴィティばかりではない。マネジメントやホスピタリティに関しても、データの蓄積が進むにつれて、AI・ロボットにできることは増大し、人間にしかできないことは減少していく。

AI時代に感性は重要か？

AI時代に残りやすいのは、作曲家や画家以上に小説家や映画監督だろう。今のAIでも人間が作ったものと区別のつかない音楽を作曲したり、絵を描いたりできるが、本格的な小説や映画を単独で作ることはできない。

図3・6では、横軸に「単純―複雑」の軸をとり、縦軸に「悟性的―感性的」の軸をとり、様々な創作物を私の独断でプロットしている。

「単純―複雑」は構成要素が少ないか多いかを表している。言語を使った創作物であっても、俳句よりも小説の方が複雑と考えられる。

悟性というのは、哲学用語だが、ここでは理解力や思考力、特に言語的な思考力を意味するものとする。「悟性的―感性的」の軸は、創作の際に悟性と感性が用いられ

図3・6 様々な創作物

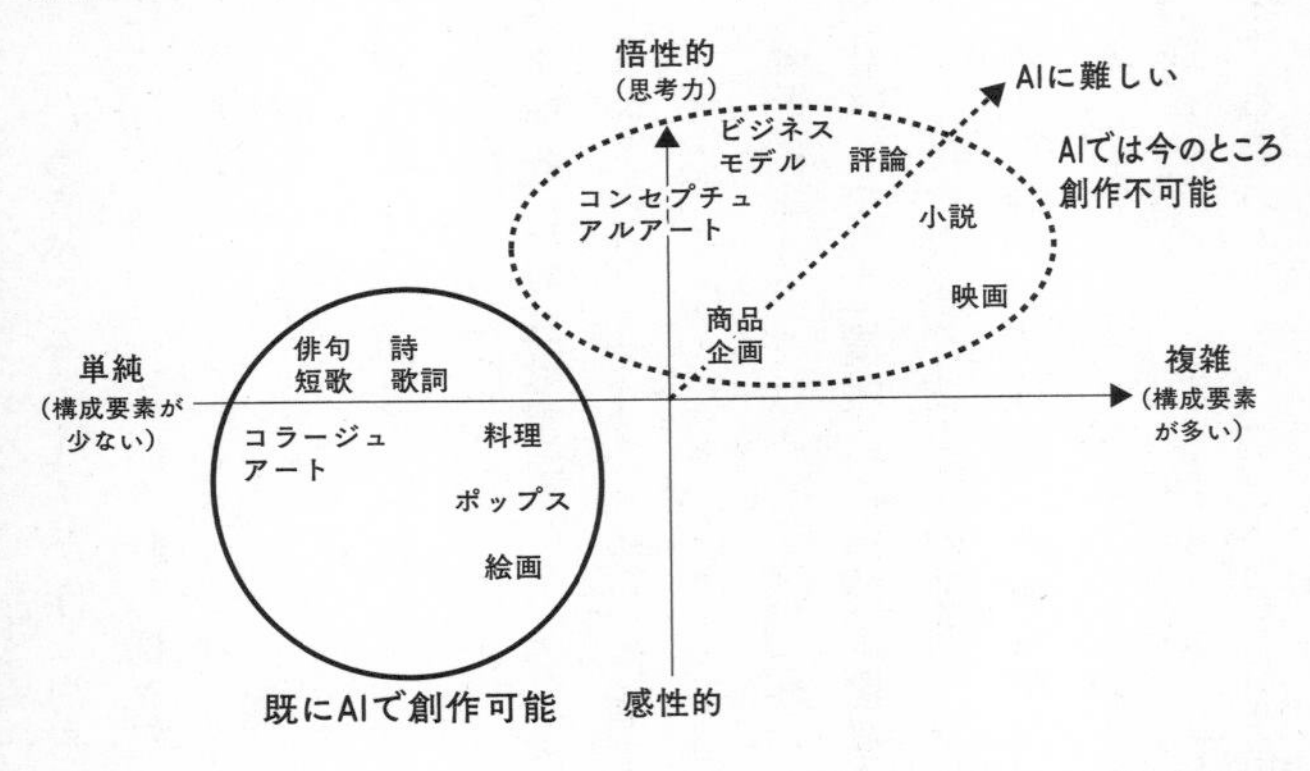

出所：筆者作成

る配分を表している。

創作物は複雑であればあるほど、全体的な整合性を保つのにより高いレベルの悟性を必要とするので、図のように複雑性と悟性は相関する傾向にある。

映画が絵画よりもはるかに言語的思考を必要とするのは、せりふを有するからというだけでなく、あるカットと次のカットの間に意味の連関を必要とするからだ。そうかといって逆に、エッシャーの一連のだまし絵やピカソの「ゲルニカ」などの絵画の創作に言語的思考が駆使されていないことを主張したいわけではない。

創作物といっても、芸術に限定されることはなく、商品企画やビジネスモデルについてもプロットしている。これらを作る仕事は、感性よりも悟性をより必要とするだろう。特に、ビジネスモデルの構築は、感性のみ研ぎ澄まされた人間にはできない生業(なりわい)だ。

このようにしてプロットされた創作物のうち、既にAIによって創作可能になっているものを図3・6では実線で囲み、いまだに不可能なものを点線で囲んでいる。俳句が実線で囲まれているが、これはAIが松尾芭蕉や小林一茶のような優れた俳句を創作できることを意味しない。ただ単に人間が作った俳句と区別できないようなものをAIが作れることを示しているにすぎない。

図3・6から、単純で感性的なものはAIによって創作可能で、複雑で悟性的なものは今のところ創作不可能であることが分かる。感性よりも悟性の発揮がAIにとって難しいということの結果を、意外だと思う人は多いことだろう。

AI時代に人間のどのような能力が重要になるかという質問に対し、日本人の識者は口をそろえて感性と答える。感性が重要になってくることを私は否定しない。ただ、既に論じたように、ありきたりの人間の感性はAIによって代替され得る。新規性とエンターテインメント性を兼ね備えた創作物を生み出し得るような感性は、その限りではないが。

ＡＩにとって、感性よりも悟性を身に付ける方が難しい。第2章で述べたように、今のＡＩは考えることが得意ではない。とりわけ、言語を使った思考については壊滅的と言っていいほどだ。

学生の中には、「先生、これからはＡＩがものを考えてくれるから、僕たちは勉強しないで、感性さえ磨いていればいいですよね」と大胆なことをのたまう者もいる。アメリカのグリッドというホームページ制作会社は、人間のデザイナーを一人も雇っていない。代わりにコンピュータが、素晴らしいデザインのホームページを続々と生み出している。並の感性ではもはや、コンピュータには打ち勝てない。

膨大なアーカイブに基づいて音楽や絵画を無尽蔵に自動生成できるＡＩを凌駕する感性を持つ天才ならば、それでも生きていけるだろう。だが、そうでなければ、人間がＡＩよりはるかに勝っているはずの悟性の訓練を怠ったら、将来お金になる職業に就けなくなる可能性は高くなる。

学生に何の指導もしないで、レポート課題を出すと、「〜と感じる」などと物事の印象について書いてくる。高校までの教育で読書感想文を書かせたり、どう感じたかを述べさせたりすることが多いからだろう。

もちろん、大学のレポートや論文には感じたことではなく、考えたことを書くべきだ。ブルース・リーは「考えるな感じろ」と言ったが、学生には逆のことを指導したい。感じるな考えろ。

5 未来の雇用と格差

全人口の１割しか労働しない社会

汎用ＡＩが２０３０年頃に現れるとするならば、早ければ２０４５年くらいにはかなり普及している可能性がある。例えば、汎用ＡＩを組み込んだパーソナルアシスタント（電子秘書）が、パソコンやスマホで使われるようになっているだろう。

このパーソナルアシスタントは、手足を使わないことならば何でも依頼することができて、「我が社の決算書を作ってくれ」「我が社のホームページを作ってくれ」「自動車産業の最近の動向を10ページほどの報告書としてまとめてくれ」と命じるだけで、それぞれの作業をたちどころにやってくれる。

あるいはまた、汎用ＡＩが組み込まれたロボット、つまり汎用ロボットが、レストランのウェイター・ウェイトレスから警察官、消防士に至るまで身体の動作を必要とする様々な仕事を担っているだろう。

私は、２０１６年に出版した『人工知能と経済の未来』で、汎用ＡＩが２０３０年に出現し速やかに普及した場合、２０４５年には全人口の１割程度しか働いていないだろうと予測した。

細かいことをいうと、残りの９割の中にも仕事をしている人はいるが、ちょっとしたバイト程度だったり、フルタイムの仕事でも生活するにはとても足りない額しか稼げていなかったりする。

あるいは、終身雇用制度の存在ゆえに会社に雇用され続けているものの大した仕事はなく、社内失業の状態にあるということも考えられる。

要するに、内実のある仕事をし、それで食べていけるだけの収入を得られる人が、１割程度しかいない可能性があるということだ。そういう社会を脱労働社会と呼ぶことにしよう。

汎用ＡＩがゆっくり普及した場合、脱労働社会の到来は２０６０年くらいになるだろう。さすがに、２０３０年から30年も経てば十分普及しているに違いない。

クリエイティブな世界は残酷だ

一方で、これからAIがどんなに発達して、たとえ汎用AIが出現したとしても、AIにはできないクリエイティブな職業が増えて、人間がそのような職業に就くようになるので、心配いらないという意見もあるだろう。

「雇用の未来」の著者の一人であるオズボーンは、AIが高度に発達した未来にはクリエイティブ・エコノミーが到来すると予想している。

AIなどの機械にできることは機械に任せて、人々はクリエイティブな仕事に専念できるようになるという意味だ。クリエイティブ・エコノミーは、頭脳資本主義と重なる概念であり、私もこの見方に賛成している。

しかし、クリエイティブの世界は残酷だ。ミュージシャンで売れているのはほんの一部である。東京では中央線沿いに売れないミュージシャンが大勢生息しているが、それは比較的家賃が安いからだ。彼らは、カフェや居酒屋でバイトをしたり、時には新薬の治験を受けたりしてお金を稼いでいる。

芸人にしても同じことで、ほとんどの芸人は名前すら一般に知られておらず、本業の年収は10万円以下だ。交通費が自分持ちなため、所得がマイナスになることすらある。彼らは、他にバイトをしていたり、売れている芸人が食事を奢ってくれたりするから何とか食いつないでいるという。

一般の職業における所得の分布は図3・7のようになる。貧しい人がそこそこいて、中間層が分厚く、お金持ちがほんの少しいる。この分布の形を「釣り鐘型」と呼ぶことにしよう。

それに対し、クリエイティブ系の職業では、図3・8のように貧しい人が果てしなくたくさんいて、中間層はそれよりはるかに少なく、お金持ちはさらに少なくなる。この分布の形をロングテール型と呼ぶことにする。

AIやロボットがどんなに雇用を奪っても、クリエイティブな仕事は残るので、みながそのような仕事に従事すればいいと思われるかもしれない。

たとえそうだとしても、暮らせるほどに稼げない仕事ならばそれは趣味とさほど変わりなく、失業問題の解消にはつながらない。AI時代に格差は確かに拡大するが、失業は増大しないと主張する論者はかなり多い。だが、年収10万円以下の労働ばかりになった時に、それは果たして仕事があると言えるのだろうか。

クリエイティブな仕事の種類は近年とみに増えている。ユーチューブに出演する仕事やLINEのスタンプを作る仕事は、10年前には影も形もなかった。ただ仕事といっても、ほとんどの人にとっては小遣い稼ぎ程度にしかならないただの趣味に留まっ

図3・7　一般的な職業の所得分布（釣り鐘型）

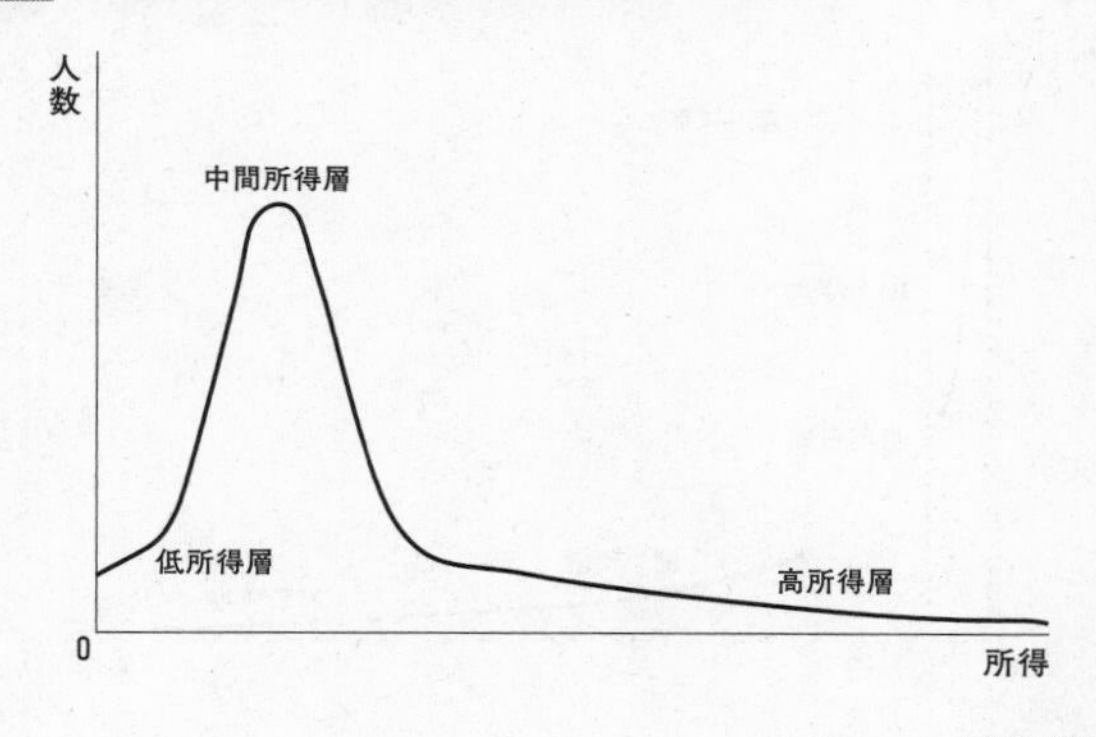

出所：筆者作成

ている。

失業して職を探している人に「ユーチューバーになればいい」とアドバイスしたら、怒られるかもしれない。確かに、ほとんど誰であろうと、なろうと思えばユーチューバーになれるが、それをもって仕事が確保されているとは言えないだろう。

AIが普及することで、会社から月々サラリーがもらえるような安定した普通の仕事は減っていく。そしてクリエイティブな仕事だけが残るとするならば、所得の分布は図3・7から図3・8に移り変わる。ほとんどの人々にとっては食っていけない地獄のような社会となる。

実際には、マネジメントやホスピタリティに関わる仕事も残るので、完全に図3・

図3・8　クリエイティブ系の職業の所得分布（ロングテール型）

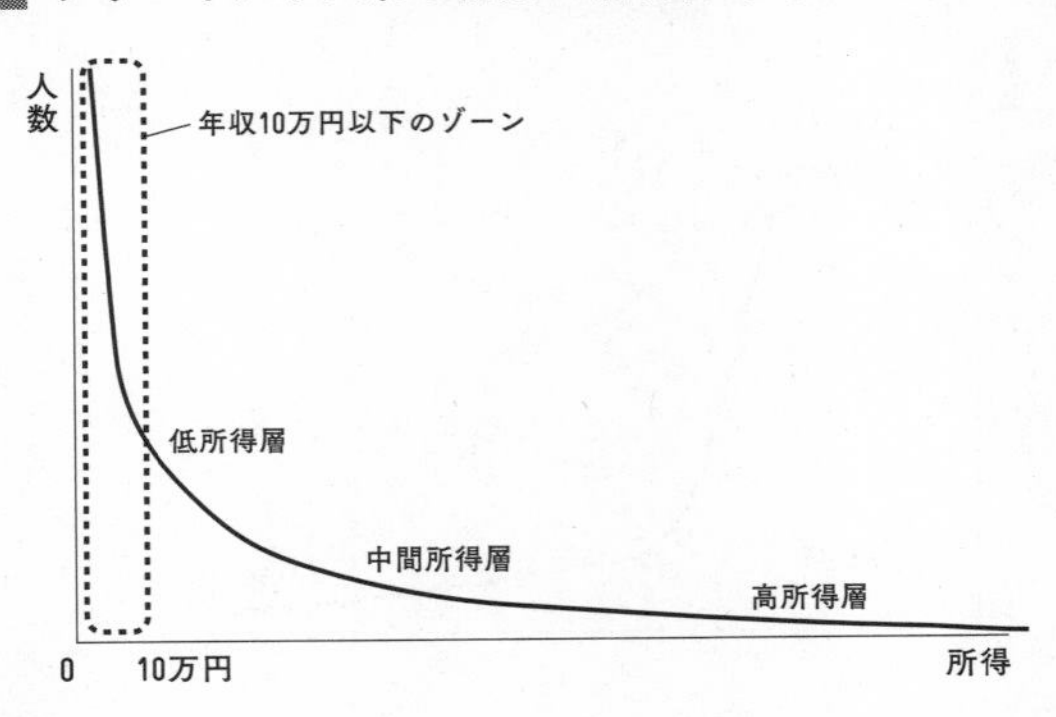

出所：筆者作成

8のようにはならないはずだが、このような所得分布に近づいていくことには変わりない。中間層ではなく貧困層が一番のボリュームゾーンになってしまう。

科学技術の進歩は、それだけで必ずしも明るい未来の到来を約束するわけではない。AIがすべての仕事をやってくれるようになったとしても、それだけで遊んで暮らせるハッピーな社会が自然と到来するわけではない。そのような社会を作り上げるには、労働せずとも所得が得られるベーシックインカム（BI）のような包括的な社会保障制度が必要だ。

本章のまとめ

Summary 3

- 最初の産業革命以来、幾度も技術的失業が生じたが、長期的に失業率が上昇することはなかった
- 技術的失業は労働移動によって解消されてきた
- 各職業が消滅するかどうかではなく、各職業においてどれだけ雇用が減少するのかに注目すべきだ
- 機械が労働者と補完的な関係にある時ですら、労働者を失業に追い込むことがある
- アメリカでは、ＩＴに雇用を奪われた事務労働者の多くは肉体労働に転職し、収入が減少している

- アメリカでは、今世紀に入ってから就業率が低下している
- 日本では、一方に人手が余っている職種・業種があり、他方に人手が不足している職種・業種がある
- 人間の知的振る舞いに近い汎用AIが出現すれば、雇用は根こそぎ奪われる
- クリエイティヴィティ、マネジメント、ホスピタリティに関わる仕事は残りやすい
- AI時代に人間にとって必要なのは、感性よりも悟性（思考力）
- クリエイティブな仕事が増大すると、格差は拡大する

39 Dreyfus（1972）
40 Dreyfus（1972）
41 Shanahan（2015）
42 Shanahan（2015）
43 Deleuze and Guattari（1972）
44 Deleuze and Guattari（1972）
45 金子（1955）
46 Deleuze and Guattari（1972）
47 Rousseau（1755）
48 Harari（2016）
49 Cohen（2015）
50 Rousseau（1755）
51 Harari（2016）
52 Harari（2015）
53 Harari（2016）
54 Foucault（1966）
55 Carr（2014）
56 Bregman（2016）
57 Hicks（1969）
58 Cowen（2013）
59 Cowen（2013）
60 Bregman（2016）
61 Cowen（2013）
62 Cowen（2013）
63 Gordon（2016）

※参考文献は下巻に掲載した

Notes

1 Gandhi（1938）からの引用だが、訳は田畑（1999）を用いた。
2 囲碁や将棋、チェスはゲームの理論でいうところの完全情報ゲームであり、コンピュータに向いている。
3 日塔（2016、2017）
4 第三次産業革命が、1970年代のエレクトロニクス革命のことを指す場合もある。これは、製造業を中心にしたドイツのインダストリー4.0のパースペクティブに基づいている。製造業に限定しなければ、1995年以降のIT革命こそがより大きな革命ではないだろうか。
5 李（2018）
6 Rifkin（2014）
7 Jünger（1993）
8 Pacey（1991）
9 フランクのこのような説には多くの異論があり、例えばエリック・ミランは、『資本主義の起源と「西洋の勃興」』（藤原書店）で、『リオリエント』（藤原書店）の議論を踏まえたうえで、中世において発展した都市国家システムがヨーロッパの資本主義的な勃興をもたらしたと述べている。
10 ただしそれは、ヨーロッパによるアジアや中南米、アフリカといった地域に対する収奪がなかったことを意味しない。
11 李（2018）
12 経済学者で東京大学社会科学研究所准教授の伊藤亜聖氏の示唆による。
13 富士キメラ総研の調査による。
14 訳は塚原（1994）
15 訳は塚原（1994）
16 福田（2004）
17 福田（2004）
18 Barbrook and Cameron（1995）
19 Wiener（1949）を筆者が訳した。
20 Marx and Engels（1848）
21 Beck（1986）
22 Gandhi（1938）からの引用だが、訳は田畑（1999）を用いた。
23 Gandhi（1938）からの引用だが、訳は田畑（1999）を用いた。
24 Gandhi（1938）からの引用だが、訳は田畑（1999）を用いた。
25 Gandhi（1938）
26 Liu（2017）所収
27 Heidegger（1927）
28 Cohen and Hopkins（2019）
29 Deleuze and Guattari（1980）
30 Deleuze（2003）
31 Bailenson（2018）
32 Bailenson（2018）
33 Deleuze and Guattari（1980）
34 Culp（2016）
35 一般には、教師データと出力データとの差を最小にするように、ウェイトを調整。
36 ⑵を述語論理を使って正確に書くと、∀x（Cat（x）→Cry（x））となる。
37 Heidegger（1927）
38 Dreyfus（1972）

本書は、２０１9年5月に弊社から発行した
同名書を文庫化したものです。

nbb
日経ビジネス人文庫

純粋機械化経済 上
頭脳資本主義と日本の没落

2022年2月1日　第1刷発行

著者
井上智洋
いのうえ・ともひろ

発行者
白石 賢

発行
日経BP
日本経済新聞出版本部

発売
日経BPマーケティング
〒105-8308 東京都港区虎ノ門4-3-12

ブックデザイン
新井大輔

本文DTP
マーリンクレイン

印刷・製本
中央精版印刷

Printed in Japan　ISBN978-4-532-24019-6

nbb 好評既刊

24の「神話」からよむ宗教

中村圭志

なぜ神々は傍若無人に振る舞うのか？　なぜ神は人間に苦難をもたらすのか……さまざまな神話を切り口に、宗教の歴史と今をやさしく解説。

10の「感染症」からよむ世界史

脇村孝平＝監修
造事務所＝編著

ペスト、天然痘、インフルエンザ等、世界史を変えた10の感染症に着目。その蔓延と収束、社会経済にもたらした影響まで解説する。

ライバル国からよむ世界史

関眞興

隣国同士はなぜ仲が悪いのか。中東紛争からロシアのウクライナ侵攻、日韓関係まで、代表的な20の事象から世界情勢をやさしく紐解く。

京大医学部で教える合理的思考

中山健夫

まずは根拠に当たる、数字は分母から考える――。京大医学部教授がEBM（根拠に基づく医療）研究の最前線から、合理的な思考術を指南。

CASE革命

中西孝樹

接続、自動運転、シェアリング、電動化――自動車産業の未来を左右する4つの巨大な潮流「CASE」。最新データ、予測に基づき徹底解説。

nbb 好評既刊

歴史からの発想
堺屋太一

超高度成長期「戦国時代」を題材に、「進歩と発展」の後に来る「停滞と拘束」からいかに脱するかを示唆した堺屋史観の傑作。

「不確実性」超入門
田渕直也

想定外の時代に私たちはどう備えるべきか。リスクと向き合い続ける金融市場のプロが、サバイブ術を解説。ロングセラーを大幅加筆した決定版。

気候で読む日本史
田家 康

寒冷化や干ばつが引き起こす飢饉、疫病、戦争――。律令時代から近代まで、日本人が異常気象にどう立ち向かってきたかを描く異色作。

気候文明史
田家 康

地球温暖化は長い人類史の一コマにすぎない。氷河期から21世紀まで、8万年にわたる気候変化と人類の闘いを解明する文明史。

世界史を変えた異常気象
田家 康

インカ帝国滅亡、インド大飢饉、スターリングラードのドイツ敗北――。予想外の異常気象がいかに世界を変えたかを描く歴史科学読み物。